Drora Dominey and France Lebée-Nadav   EVERYWHERE

This book has been made possible
by the generous support of
the Arthur Goldreich Trust

The publication of this book was also
generously sponsored by
Yehoshua Rabinovich Foundation, Tel Aviv

Drora Dominey   France Lebée-Nadav

EVERYWHERE

Landscape and Memory in Israel

Xargol Books

Editor: Meir Wigoder

Contributors:
Dr. Avner Ben-Amos, School of
Education, Tel Aviv University
Prof. Hannan Hever, Department of
Hebrew Literature, The Hebrew
University, Jerusalem
Yael Shenker, doctoral candidate,
Department of Hebrew Literature,
The Hebrew University, Jerusalem
Dr. Meir Wigoder, Faculty of Arts,
Tel Aviv University, and Department
of Communication, Sapir College

Some of the photographs included
in this book were exhibited on
February 2000 at the Artists' Studios,
Tel Aviv. Curator: Mimi Brefmann

Managing editor: Jonathan Nadav
Book and cover design:
Hagit Shemesh and Shirley Plada
Production: Nati Cohen
Hebrew Tranlations: Ayelet Sackstein
Copyediting: Naomi Paz

Original silver prints: France Lebée-
Nadav
Colour prints: Pedro Fryszer,
Isracolour

Scanning and Plates: Total Graphics

Printed and bound in Israel, 2002
ISBN 965-7120-16-0

First Edition, April 2002

10 9 8 7 6 5 4 3 2 1

Xargol Books Ltd.
P.o.Box 11036, Tel Aviv 61116
info@xargol.co.il

Contents

Looking at Remembering: Photography, Monuments and Memory || Meir Wigoder

Is it a coincidence that two women rather than men set out on a two-year journey across Israel to photograph 180 monuments all over the country? Both Drora Dominey and France Lebée-Nadav characterize their collaboration as an adventure. It may not have been as dramatic as the journey of the heroines in Ridley Scott's *Thelma and Louise*, or as hallucinatory as the wanderings of the heroines in Jacques Rivette's *Celine and Juliet go Boating*, but it did provide them with an alternative way of looking at a landscape blemished with so many military macho symbols of a society that expects women to bear and groom children for the army, just as they are expected to be the torch-bearers of memory should their sons or husbands not return from battle. These photographs are not only records of particular places that signify landmarks in the history of Israel's armed conflicts, but are also a testimony to spaces that Dominey and Lebée-Nadav traversed on the highways and byways to reach all these locations. Hence, this collection of photographs follows in part the genealogy of national heroes and famous battles. In doing so it makes us wonder about the type of journey we are being invited to join: at a time when the practices of subjective and collective memory are being questioned, we wonder whether the collection of these photographs of monuments does not run the risk of complying with the State's hegemonic view, which tries to create a national memory in order to represent a united society that has a singular linear historical development? Or, is this project meant to have a critical and ironic outlook on the role that monuments play in Israel precisely because it presents a miscellany of styles of monuments that span more than 50 years of this country's history? This project raises complex questions about the relationship between memory and history; memory and forgetfulness; subjective and collective practices of memory; and about the relationship between art and politics.

Dominey and Lebée-Nadav's project reflects a mixture of aesthetic and political considerations without having an overt dogmatic agenda. As part of Dominey's critical view of the way Israeli monuments from the 1960s and 1970s were created by noted male artists (Yechiel Shemi, Yitzhaq Danziger, and Yigal Tumarkin for example), she claims that their monumental style emphasized the collective aspects of memory and left little consideration for the personal perspectives of ritualizing grief. On the aesthetic side, their project led them to photograph a wide array of monuments, from the early figurative style, to the brutalist, the modern and the colorful toy-like post-modern style of monuments. The political and cultural aspects of their work are underlined by their typological sensibility, exemplified by the way they recorded an array of monuments of different sectors of the Israeli army, Israeli society and the minorities. Dominey and Lebée-Nadav agreed not to photograph monuments beyond the 1967 Green Line border and decided not to include Holocaust monuments, as though the entire project was to remain a strictly Tsabar (native Israeli) affair.

The subject of monuments is already discernable in Dominey's sculpture from the 1990s, which had been informed by a feminist critique of Israeli sculpture. One of the earliest references in her work to monuments is detected in the installation "Ofek-Gabot", which deals with the national and social myths surrounding the first Zionist and socialist pioneers. Dominey places on easels large photographs of water-towers that are riddled by bullets (fig. 1). In one of the photographs proudly stands the statue of Mordechai Anilewiez at Yad Mordechai. The water-towers are not only symbolic of the male-dominated narrative of this country but also echo the entire fortress mentality, which typified the way the early Jewish settlers expanded their hold on the land.

The antidote to this type of macho signification is provided by Dominey in another set of sculptures that she made out of wash-tubs (fig. 2). The phallic perspective of the water-towers against

Fig. 1

Fig. 2

the horizon is now replaced by a feminine view, asserting the connection between the tubs and the ground. The spectator must crouch in order to look at the water vessels from close up.[1] The history of the Israeli-Palestinian conflict can be viewed from these contrasting perspectives. While most of the early Palestinian villages function like Dominey's tubs, because they were built on the terraces of hills in order to blend in with the landscape, the Jewish settlers first flattened the hill-tops and only then built their homes on the highest elevations in order to be visible and have a commanding view. Dominey and Lebée-Nadav's project explores the tension between the "feminine" landscape and the prevailing "masculine" monuments. It also reminds us that every monument that is erected to perpetuate the Zionist narrative, has its counterpart in the form of ruins and clusters of cactus vegetation, which attest to the Palestinian point of view on the conflict—hence, this dichotomy emphasizes the disparity between the *built-monument* and the *natural-monument*; between an act of construction and the traces

that represent loss and absence in the land.[2]

It was her personal perspective on grief that attracted Lebée-Nadav to the project. Early experiences of loss in her own childhood contributed to shaping her vision. As a French immigrant in a foreign Israeli culture, she found the public rituals of mourning both fascinating and troubling. In one personal project she began to photograph every year in her son's school the memorial ceremonies for the soldiers who had died in the wars, in full awareness of the irony that these photographs might one day serve to remember her own son if he were to die in battle (fig. 3). Lebée-Nadav's foreign background led her, in another project, to search for the traces of European style architecture in the entrances to buildings in Tel Aviv. These entrances mark the transitional spaces between the private and the public spheres of life. The very quietude of the photographs and the sharp transitions from darkness to light, make them look like modern tombs whose ghostly quality is reminiscent of the empty streets that Eugene Atget photographed

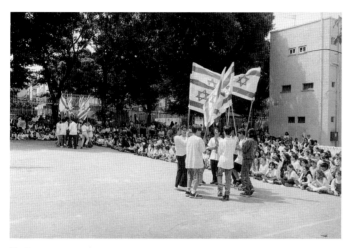

Fig. 3

Fig. 4

in the late nineteenth century; spaces devoid of people, which made Walter Benjamin remark that Atget's photographs look like the scenes of a crime (fig. 4).

Dominey and Lebée-Nadav's work relies on photographic "estrangement", a critical formalist term used in literature and photography to describe the task of defamiliarizing reality in order to make it noticeable to the viewer. The degree to which Dominey and Lebée-Nadav succeed relies mainly on three types of photographic angle: the frontal angle runs the risk of coinciding the view of the photographer with the implied official view of the monument, which assumes a spectator standing opposite it during the memorial service. (The texts on the monuments imply that there is a front and a back and indicate to the spectator where to stand.) Looking at the monuments from the sides provides diverse opportunities to emphasize or dwarf them in relation to their surroundings: a perspective that can either create the impression that the monument blends in with the landscape; or show the extent

to which it is an intrusion. The view from behind, which Lebée-Nadav and Dominey rarely use, is the most radical because it has the effect of canceling out the commemorative value of most monuments and leveling them into a single sense of platitude.

The aesthetic considerations of exploring the landscape of monuments brings up similar issues to those faced by American landscape photographers in the 1980s. The work of photographers like Richard Misrach and John Pfahl are examples. Misrach set out to depict the terrible damage done to the Nevada desert after American army maneuvers had destroyed the terrain. But in fact, the photographs create a dissonance between the intended political and ecological message and their aesthetic effect: the most pleasing pictorial effects are the craters, which designate the damage done by the bombs and missiles. Likewise, the plumes of smoke in John Pfahl's photographs of power stations are meant to signify to us how terribly they pollute nature, but in fact the beauty of the photographs relies on these effects of smoke rising from their

chimneys.[3] Similarly, Dominey and Lebée-Nadav's photographs aim to show us a landscape of death through the sheer accumulative power of all the monuments, but they also individualize each monument in an aesthetically pleasing way that makes us appreciate how their formal shapes integrate within the landscape.

Lebée-Nadav selected her Bronica camera for this project. It ensured her mobility while providing her with a suitable size of negative to enlarge the photographs without them being grainy. The 6x6 medium range format camera is traditionally associated with the body rather than the photographer's eyes because it is held at waist level and provides a "navel-view" of the scene. (In extreme situations, when Lebée-Nadav and Dominey did not want to look up at the monuments, in order not to emphasize their dramatic stature, they used a ladder to look at the objects from a greater height.) This format camera lies between two types of viewing practices: its mobility is reminiscent of the 35 mm camera, which we connect in our minds with the roaming view of the urban "passant" who glimpses reality through a series of chance encounters and captures the "decisive moments" in the streets. This format provided photographers such as Robert Frank and Lee Friedlander with the agility to capture the urban landscapes during their travels (Lebée-Nadav notes that she was engaging in a dialogue with these photographers).[4] On the other side of the spectrum, the medium format belongs to the sensibility of larger format camera techniques, which are used outdoors to create a much more stable and timeless impression of the landscape. Consequently, the formal tension in Dominey and Lebée-Nadav's photographs results from the way they use the camera either to photograph the monuments from close by (thereby using the square format, which is related traditionally to portrait photography, to create a more personal relationship with the monuments) or, in including the monument in a much larger view, they create a tension between the square format and our

expectations of seeing landscapes in the rectangle panoramic viewing format.[5]

Pointing a camera at a monument is no simple task. It raises a few fundamental questions: is it a tautological act that confers a similarity between the way photographs and monuments are meant to resurrect the past and be used for commemorative purposes? Do photographs and monuments attest to the same need to mark a definitive "place" where actions took place in order to remember them? Do they both impart the same kind of witnessing techniques? Barthes had commented that far from being able to make us recall all that had happened on a certain occasion, the task of photographs is mainly to prove that the event had taken place.[6] Photographs provide a dichotomy between the photograph's ability to assert that the scene was actually observed by someone and the camera's mechanical ability to take a photograph of a place or an event even if there was no one standing behind the camera (modern technology has led to the "autonomous" camera); the former view attests to the subjective aspects of photography and the latter to its objective and passive character.

Hence, what kind of a sense of viewing presence, or lack of one, do the photographs in this book reveal? Do they attest to the point of view of these two huntresses, who traveled across the country in order to bring back their prey and reveal these locations, with the aim of strengthening the idea that a monument is capable of encapsulating a collective memory that is always antithetical to the memory of another community whose memory is being neglected or entirely erased here? Or, is the choice of presenting us with so many "unpopulated" monuments (except for two instances where people are seen) meant to present an impression of how all these *overlooked monuments* appear when they are not attended, and are therefore unable to perform their memorial task because there is no-one standing before them and reflecting on their significance –

a point that rehearses the idea that forgetfulness is part of the memorial practice?

The title of the book, *Everywhere: Landscape and Memory in Israel*, gives us some clue to the answer. The singular meaning of each monument is leveled by the quantity of sites, thus reminding us that most of the time we pass by these locations without even noticing them because they have melted into our everyday existence. Only once a year, on the appointed hour, when people stand in front of the monuments for a moment's silence, do we understand the tentative relationship between photography and monuments: at the designated moment the siren arrests movement and turns everyone into a stilled photograph. Its wailing sound threads together all the personal and collective feelings of grief all over the country and then dies down, slowly releasing people from their frozen positions. It is precisely during this moment of silence that everything gets reversed: the photographer/traveler/witness is forced to freeze while all the inanimate object-matter suddenly comes to life and we become aware of even the slightest movement of paper blowing in the street or leaves in the forest, which would otherwise go unnoticed.

The moment of the siren is the only time when the photograph and the monument coalesce, for otherwise their roles are very distinct: the monument, belonging to the continuity of tradition and to ritualistic space, represents the distant past. The passage of time can render monuments either more significant or irrelevant. The monument can mark a specific event by commemorating it in the "real" place but it can also do so anywhere else. The monument tries to transcend time and act as a pure memory, in contrast to the photograph that is limited to testifying to a particular moment that had once taken place in time. The photograph belongs to those shock effects and fragmented moments that record events as never having ripened. The photograph is more descriptive and does not necessarily carry the narrative weight that the monument encapsulates. The photograph is more capable of simply testifying to the fact that the event had taken place - a factor that enables later generations to identify with the event and even construct their own memory from the photographs (as is often the case when young Israelis go on memorial-tours to the concentration camps and recognize the railway tracks that they had first seen in photographs.)

In our post-modern age the dichotomy between the monument and the new advance in camera technologies has led memory, in Andreas Huyssen's words, "to migrate into the realm of silicon chips, computers, and cyborg fictions."[7] Huyssen argues that it is a mistake to believe, as many critics of post modernity do, that cameras and technology create an entropy of historical memory leading to a collective amnesia that results in an unwillingness to engage in active memory of the past. In fact, he claims that ever since the 1980s the media have done a lot to create a climate of memory that has led so many people to become obsessed with the past, leading to the creation of many monuments, museums and data banks. The ability to get more information and more quickly has only enhanced the available amount of information from the past, which is stored in such a way as to be delivered speedily in the present. He adds that maybe the success of the museum and the monument in the present is, nevertheless, something to do with what television and the Internet deny: there is a need for the material quality of the object: "The permanence of the monument and of the museum object, formerly criticized as deadening reifications, takes on a different role in a culture dominated by the fleeting image on the screen and the immateriality of communications."[8]

The meaning of the monuments in Dominey and Lebée-Nadav's work is also a result of the way they were recorded and exhibited. But this meaning is not necessarily stable because the images had

undergone their own journey and dissemination: it starts with a reference book that the authors used like a tourist guide. *Gal'ed*, a book especially published by the Ministry of Defence for the families who had lost their sons and relatives in battle, maps the community of pain with photographs and descriptions of all the monuments in the country.[9] The second stage was the exhibition at Sadnaot Ha'omanim (Artists' Studios).[10] The gallery space conduced to a strong connection between the large-size photographs and the actual size of the monuments. The way the photographs were hung enabled the creation of a new dialogue between the monuments that in reality stood far apart from each other. The entire exhibition process enabled the construction of a spatial experience, correlating the artist and photographer's sense of travel with the spectator's own need to walk around the gallery.

By transferring the photographs to the book, the large public monuments are again uprooted and diminished in size as they are placed in the terrain of the page that is held in the hand and is perceived in the interior - a reminder that grief and mourning always start from the individual experience - one that led Lebée-Nadav to remark that every parent in our country has an unfortunate contract with the State: it asks them to sacrifice their sons while promising in return to provide the families with a fitting collective memorial if they die. Only when this contract starts to fail, for ideological and cultural reasons, does it become possible to discern a shift in the way families render their sense of loss for their sons. Recent criticism toward military and State rituals has caused parents to seek more personal forms of memorial practices: the use of home-video films, the creation of "private-museums" in their homes, and the need to add more personal anecdotes to the tombstones, exemplify the way people are seeking to move away from the collective forms of memory in order to individualize their memory practices.

In the final transformation of the monument from being a sign that stands for the invisibility of the event it represents in the past, to becoming an accessible photographic object in the present, we notice the saddening silence that has befallen these objects. This silence seems to have made it all the more imperative for the act of writing to accompany these images, as though Dominey and Lebée-Nadav needed someone else to witness their own testimonial act in order to complete its meaning. As we leaf through the monuments in this book and let the pages pass quickly through our fingers - revealing the variety of solid square photographs that are either paired or presented separately opposite an empty white page; and move on to view the running photographs that are arranged in a single file like a view from a moving car; or piled as many squares in a neat grid much like an overview of a cemetery - we can take flight in our mind and imagine all these locations from the bird's-eye view forming clusters of dots on a map of this country. At this point their shapes start to resemble the printed dot matrix of the newspaper page that delivers to us on a daily basis the tragic news of death; or it may resemble the game in which a young child is required to trace a line and connect the dots until an image appears on the page.

I will leave it to the reader to imagine the feeling of excitement and dread that the child would feel if he had to play this game with our spatial-dots of monument sites - what haunting image would emerge on the page? It is this that makes me hope that this book will also become a guide for a future generation of photographers who will set out on a journey into the fast-changing Israeli landscape where the erection of monuments competes with the speed of real estate construction, and who will find other ways to interpret this landscape in a critical manner. For this is a landscape, that in its extremity, attracts the settler-families to live in areas that are guarded by a web of fences and watch towers to create safe "reservations", which themselves act like monuments for their unrealistic idealistic

ideals; or, on the other side of the spectrum, provides a "safe" haven for the remnants of the Left and the new-age families who choose to live in places that no longer remind them of the reality in which they live, hoping that in their new hide-outs of "home away from home" they will be able to block out the madness and the irrational political violence that has gripped them for so long. This is a violence thrust upon us by the growing power of the electronic media, whose graphic designers have become the new architects of virtual monuments whose ability to make us recall the dead in our "zapping-minds" relies on the short amount of time the image remains on the television screen.

Tel Aviv, March 2002

1. See for example Smadar Shefi, "Gigit Lelo Tahtit," *Studio* 25 (Sept. 1991): 42; Tali Tamir, "Gufiyya Umigdal," *Mishqafayim* 34 (Sept. 1998): 59-61; *Drora Dominey, Sculptress 1990-1993* (Catalogue, curator: Ellen Ginton), Tel Aviv Museum, 1993.

2. For a pioneering research on the subject of monuments, see Alois Riegl, "The Modern Cult of Monuments: Its character and its origin," *Oppositions* 25 (Fall 1982): 21-51.

3. Richard Misrach, *Bravo 20*, Baltimore: Johns Hopkins University Press, 1990; and also John Pfahl's, *Altered Landscapes: The photographs of John Pfahl*, Carmel, CA. : The Friends of Photography, 1981. and Estelle Jussim, *A Distanced Land: The Photographs of John Pfahl*, Albuquerque: University of New Mexico Press, 1990.

4. Lee Friedlander, *The American Monument*, Eakins, The Eakins Press Foundation, New York 1976.

5. The tension created by photographing a landscape with a square format camera is perceptively discussed by Sarah Breitberg-Semel in *Dalia Amotz, Photographs*, Tel Aviv Museum, 2000.

6. Roland Barthes and Siegfried Kracauer debated most effectively the problematic role photography played in aiding our memory and representing the past. For a discussion of their writings on this subject, see Meir Wigoder, "History Begins at Home: Photography and Memory in the Writings of Siegfried Kracauer and Roland Barthes," *History and Memory* 13: 2 (Spring/Summer 2001): 19-59.

7. Andreas Huyssen, "Monument and Memory in a Postmodern Age," *The Yale Journal of Criticism* 6: 2 (1993): 249.

8. Ibid., 255.

9. Ilana Shamir (ed.), *Gal'ed - Memorials for the Fallen in the Wars of Israel*, The State of Israel, Ministry of Defence, 1989.

10. Smadar Shefi, "Beli Belorit Uveli To'ar," *Haaretz*, March 8, 2000; Sigal Barnir, *Studio* 115 (July 2000): 72.

Abstracts

Avner Ben-Amos

Theaters Of Death And Memory: Monuments And Rituals In Israel

Avner Ben-Amos's essay addresses the notion of monuments as stage sets that provide a theatrical setting for those few days in the year when ceremonies take place to commemorate the dead. Precisely because the monument is often overlooked by the traveler or the urban passer-by, the function of the ceremony is to highlight its meaning. Ben-Amos considers the way these sets provide the necessary conditions for the rituals to take place before an audience that participates in the action. He describes the accoutrements that are used to create symbolic meanings and claims that the repetitive ritualistic patterns of these ceremonies are meant to transform the monuments into "natural objects", which in turn make the sacrifice of the soldiers also appear to be "natural". The efforts of the State to perpetuate the memory of its fallen soldiers through monuments and rituals is one of the sources of its power: it contributes to ensuring that more and more generations of young people will follow in the same path and willingly, or at least unprotestingly, go to their death.

Hannan Hever

Before The Graves

Hanan Hever juxtaposes Nathan Rappaport's sculpture at Kibbutz Negba (1953) with Batia Lishanski's sculpture at Kefar Yehushua' (1953). Hever provides a consequential link between the terms of production in which the sculptures were created, their placement in space, their effect on the environment, and the way they have been represented in the photographs. Each stage reaffirms the relationship between cause, effect and reception in order to contrast the ways in which a male and a female artist create a sculpture. Rappaport's sculpture represents three figures who symbolize the struggle to hold Negba during the 1948 war. The individual, private figure, becomes a symbol of a larger collective, itself symbolizing the nation. Batya Lishansky's sculpture deconstructs the symbolic codes common to the hegemonic national discourse and represents four roughly carved figures. The woman artist's figures lack the fine, concrete and precise portrayal of the figural bodies that Rappaport's sculpture commands. Lishansky's figures bend over, disrupt the symbolic tight order and therefore represent an allegory, which - through its mechanic mode of representation - represent a world of ruins and destruction rather than obey the dictates of the narrative of national redemption.

Yael Shenker

"The World Is Filled With Remembering And Forgetting"

Yael Shenker invites us to gaze at Chulikat - an act that starts with her search for Dicky, who had fallen there during the battles of 1948; to read about this location in Yehuda Amichai's poems; and to look at the photograph of Hill 138.5 at Chulikat. Shenker's discussion of this site is tinged with the fragile possibilities that writings, monuments and photography can offer for remembering. She distinguishes between "live memory", representing the poet's attempt to recount a personal memory in order to return to a moment prior to a death, and "dead memory" that represents what the monument offers, as it is meant to recall all those fallen soldiers who no longer have a say.

Shenker does not combine all these possibilities of memory in

order to create a division between them; instead she seeks to delineate the boundaries between them as she searches for a conglomeration of memorial acts that will enable the observer to participate in the act of remembrance, and belong to a community of memory. In doing so, Shenker makes as aware of the dialectical relationship between the present and the past, between presence and absence, and between memory and forgetfulness.

דרורה דומיני ופראנס לבה־נדב   כל מקום

הספר רואה אור
בתמיכתה הנדיבה של
קרן ארטור גולדרייך

הוצאת הספר התאפשרה גם בתמיכתה של
קרן יהושע רבינוביץ לאמנות, תל־אביב

דרורה דומיני   פראנס לבה־נדב

כל מקום

נוף ישראלי עם אנדרטה

עורך: מאיר ויגודר

חרגול הוצאה לאור

כותבי המאמרים:
ד"ר אבנר בן־עמוס, בית־הספר לחינוך,
אוניברסיטת תל־אביב
ד"ר מאיר ויגודר, הפקולטה לאמנות,
אוניברסיטת תל־אביב, והחוג לתקשורת,
מכללת ספיר
פרופ' חנן חבר, החוג לספרות עברית,
האוניברסיטה העברית, ירושלים
יעל שנקר, דוקטורנטית בחוג לספרות
עברית, האוניברסיטה העברית, ירושלים

הספר רואה אור בתמיכת קרן ארטור
גולדרייך, ובסיוע קרן יהושע רבינוביץ
לאמנות, תל־אביב

חלק מהעבודות הוצגו בפברואר 2000
בתערוכה כל מקום בגלריית סדנאות
האמנים, תל־אביב. אוצרת: מימי ברפמן

עריכה וניהול פרויקט: יהונתן נדב
עיצוב: חגית שמש ושירלי פלדה
הפקה: נתי כהן
הגהה: קטיה בנוביץ'
תרגום מאנגלית: איילת סקסטיין
עריכה לשונית אנגלית: נעמי פז

הדפסות כסף מקוריות: פראנס לבה־נדב
הדפסות צבע: פדרו פרישר, ישראקולור

סריקות ולוחות: טוטל גרפיקס
הדפסה: דפוס קל
כריכה: א.ב.י.ר.

מסת"ב 965-7120-16-0

חרגול הוצאה לאור בע"מ
ת.ד. 11036, תל־אביב 61116
info@xargol.co.il

התוכן

הישן בגיא || ארתור רמבו

הִנֵּה חָלָל יָרֹק יָשִׁיר בּוֹ הַנָּהָר
מְטֹרָף, קוֹשֵׁר אֶת רָצְרְצֵי הַכֶּסֶף בַּדְּשָׁאִים
מָקוֹם אֵלָיו תִּשְׁלַח הַשֶּׁמֶשׁ מִן הָהָר
קַרְנַיִם נִגָּרוֹת, זֶה גַּיְא זָעִיר

וּבוֹ חַיָּל צָעִיר בְּפֶה פָּעוּר רֹאשׁוֹ פָּרוּעַ
וְצַוָּארוֹ רוֹחֵץ בִּכְחֹל תּוּתִים שְׁחוֹרִים,
חִוֵּר, יָשֵׁן מִתַּחַת עָב, בָּעֵשֶׂב הוּא שָׂרוּעַ
וּבְמִטָּתוֹ הַיְּרֻקָּה כָּל הָאוֹרוֹת בּוֹכִים.

יָשֵׁן, רַגְלָיו בֵּין סַיְפָנִים, וּמְחַיֵּךְ כְּמוֹ
שֶׁיְּחַיֵּךְ הַיֶּלֶד הַחוֹלֶה בְּנִמְנוּמוֹ.
הוּא קַר, נַדְנֵד עַרְשׂוֹ, הַטֶּבַע הֶחָמִים,

הַנִּיחוֹחוֹת שׁוּב לֹא יַרְעִידוּ נְחִירָיו
יָשֵׁן, שָׁקֵט, וְעַל חָזוֹ מְשֻׁכָּלוֹת יָדָיו.
בְּצַד גּוּפוֹ הַיְּמָנִי יֵשׁ שְׁנֵי חוֹרִים מַאֲדִימִים.

תירגם מצרפתית משה בן שאול

פתח דבר

השיחות בינינו על פיסול, צילום ואנדרטאות התחילו בשלהי שנת 1997.
בפברואר 1998 יצאנו למסע צילומי ברחבי ישראל. המסע הזה לבש לפעמים
צורה של ציד. עם הזמן יכולנו לזהות נוכחות של אנדרטה ביישוב או בנוף
לפי סימנים מקדימים כמו קרחת בחורשה או צפיפות מחשידה של ברושים.
פעמים בשבוע, כל שבוע, סרקנו את הארץ לאורכה ולרוחבה. לא פעם
חזרנו שוב ושוב לאותו מקום אחרי עיון בדפי מגע והדפסות ניסיון. מדי
כמה חודשים היינו עושות הפסקה בצילומים כדי לבחון את התצלומים
ואת עצמנו. כוונתנו לא היתה לתעד את כל האלף ויותר אנדרטאות שהוקמו
לזכר הנופלים לפני הקמת המדינה ואחריה. הסיבות לבחירה שלנו היו
מורכבות. גם ההתעלמויות שלנו אינן מקריות.
כעבור שנתיים הצגנו תערוכה של 48 עבודות בסדנאות האמנים בתל-אביב.
זאת היתה תחנת ביניים חשובה. בהמשך התבהר לנו שספר ייתן ביטוי
הולם לעבודתנו והתחלנו מסע נוסף. בסך הכל צילמנו כ-180 אנדרטאות.
105 מהן מוצגות בספר זה.

ברצוננו להודות לאנשים ומוסדות שעזרו לנו ותמכו בנו לכל אורך הדרך:
קרן ארטור גולדרייך, על תמיכתה הנדיבה בפרוייקט מתחילתו ועזרתה במשך
כל הדרך.
קרן יהושע רבינוביץ לאמנות, תל-אביב, על תמיכתה הנדיבה.
מר צבי נבו על תרומתו הנדיבה.
מימי ברפמן, מנהלת בפועל של סדנאות האמנים בתל-אביב על הייעוץ,
הביקורת, התמיכה והעידוד.
מאיר ויגודר, העורך, על עזרתו בגיבוש הספר והערותיו המדוייקות.
אבנר בן עמוס, חנן חבר ויעל שנקר, על המאמרים שתרמו לספר.
יעל מוריה ויצחק לבנה, על הדיאלוג הפורה.
יהודה שנהב, על עצותיו הטובות.
אתי דותן, על כותרת המשנה לספר.
משה בן שאול, על תרגומו הנפלא לשיר מאת ארתור רמבו ועל שאיפשר
לנו להכלילו בספר.

דרורה דומיני ופראנס לבה-נדב
תל-אביב, מארס 2002

להביט בהיזכרות: צילום אנדרטאות ונוף הזיכרון || מאיר ויגודר

האם מקרה הוא ששתי נשים, ולא גברים, הן שיצאו למסע בן שנתיים ימים כדי לצלם יותר ממאה שמונים אנדרטאות בכל רחבי הארץ? דרורה דומיני ופְראנס לֶבֶּה־נדב מגדירות את שיתוף הפעולה ביניהן כהרפתקה. אולי לא היה זה מסע דרמטי כמסען של הגיבורות בסרט **תלמה ולואיז** של רידלי סקוט, או הזוי כמו טיוליהן של הגיבורות ב**סלין וז'ולייט יוצאות לשוט בסירה** של ז'אק ריבֶט, אולם בכל זאת, מסע שהציב בפניהן דרך חלופית להתבוננות בנוף רווי סמלי מאצ'ואיזם צבאי, של חברה המצפה מנשים ללדת ילדים ולטפחם למען הצבא, בדיוק כפי שמצפים מהן להיות נושאות לפיד הזיכרון אם בניהן ובעליהן לא ישובו מן הקרב. תצלומים אלה אינם רק תיעוד של מקומות המסמלים ציוני דרך בהיסטוריה של מלחמות ישראל, אלא הם גם עדות למרחבים שדומיני ולבה־נדב עברו במהלך נסיעתן בדרכים ראשיות וצדדיות כדי להגיע למקומות אלה. משום כך, אוסף התצלומים הזה בעיקרו עוקב אחר תולדות גיבורים לאומיים וקרבות מפורסמים, ובכך גורם לנו לתהות לאיזה סוג מסע אנחנו מוזמנים בספר הזה: בעידן שבו קוראים תיגר על הזיכרון, האם הפרויקט הזה מנציח את הגישה המימסדית וההגמונית המנסה לייצר קו אחיד ורציף של זיכרון לאומי המאשש את קיומו על חשבון הזיכרון של עם אחר; או האם הפרויקט מצליח להיות ביקורתי ואירוני, ובכך להטיל ספק ביכולת של אנדרטאות להקנות לנו את התחושה ששאלת הזיכרון אחידה לחברה כולה? הפרויקט הזה מציג שאלות לא פשוטות לגבי הקשר בין זיכרון והיסטוריה, זיכרון ושיכחה, ואמנות ופוליטיקה. שאלת דרכי הייצוג גם היא מהותית כאן, מפני שאקט הצילום מעלה תהיות לגבי יכולתו להפוך לכלי ביקורתי כשלעצמו ללא עזרת כיתוב ושפה. (רולאן בארת' ניסח את אחד מחסרונות הצילום כך: "וכך התצלום, אין הוא יודע לומר מה שהוא מניח לנו לראות.")[1]

בפרויקט של דומיני ולבה־נדב מעורבים שיקולים אסתטיים ופוליטיים כאחד, אך אין להן סדר־יום דוגמטי. כחלק מן המבט הביקורתי של דומיני על האופן שבו נוצרו האנדרטאות הישראליות בשנות ה־1960 וה־1970 בידי אמנים ידועים, כולם גברים (יחיאל שמי, יצחק דנציגר ויגאל תומרקין, למשל), היא טוענת שהסגנון האנדרטאי שלהם הדגיש את ההיבטים הקולקטיביים של הזיכרון והותיר מעט מדי מקום לזווית הראייה האישית של פולחן השכול. מן ההיבט האסתטי, האנדרטאות שצולמו בפרויקט מייצגות מיגוון רחב, החל בסגנון הפיגורטיבי המוקדם, וכלה בסגנון הברוטליסטי, המודרני והפוסט־מודרני – אנדרטאות דמויות־צעצועים. את ההיבטים הפוליטיים והתרבותיים של עבודתן מבליטה הרגישות הטיפולוגית שלהן, המתבטאת באופן שבו תיעדו מיגוון של אנדרטאות ממיגזרים שונים בצבא ובחברה הישראלית. במישור הפוליטי היתה ביניהן הסכמה: לא לצלם אנדרטאות שנמצאות מעבר ל"קו הירוק" ולא לכלול אנדרטאות לשואה, כאילו הפרויקט כולו צריך להישאר עניין "צברי" מובהק.

נושא האנדרטאות בא לידי ביטוי כבר בעבודתה הפיסולית של דומיני בשנים 1990–2000, שניזונה מביקורת פמיניסטית על הפיסול הישראלי. את אחת ההתייחסויות המוקדמות לאנדרטאות בעבודתה ניתן לראות במיצב "אופק־גבות", העוסק במיתוסים לאומיים וחברתיים שהמציאו החלוצים הציונים והסוציאליסטים הראשונים. דומיני מציבה על כנים תצלומים גדולים של מגדלי מים (תמונה 1). באחד התצלומים המגדל עדיין נקוב כדורים, ותחתיו ניצב בגאון פסלו של מרדכי אנילביץ' ביד מרדכי. מגדלי המים מסמלים לא רק את הנאראטיב הפטריארכלי ההגמוני של בניית הישות היהודית בארץ הזו, אלא גם משקפים כהד את מנטליות המבצר, ובכלל זה שיטת הבנייה של חומה ומגדל.

תרופת הנגד לסוג זה של סימוּל מאצ'ואיסטי מציעה דומיני במקבץ אחר של פסלים, שיצרה מגיגיות רחצה (תמונה 2). הפרספקטיבה הפאלית של מגדלי המים על רקע האופק מוחלפת כעת במבט נשי, המדגיש את הקשר בין הגיגיות לבין הקרקע. הצופה חייב לכרוע כדי להתבונן בכלי המים מקרוב.[2] את ההיסטוריה של הסכסוך הישראלי־פלסטיני ניתן לראות משתי פרספקטיבות נוגדות אלה. בעוד שרוב הכפרים הפלסטיניים המוקדמים מתפקדים כמו הגיגיות של דומיני, משום שנבנו על מדרגות ההרים כדי להתמזג עם הנוף, הרי שהמתיישבים הישראלים שיטחו קודם כל את ראשי הגבעות ורק אז בנו את בתיהם על המישורים הגבוהים ביותר, כדי להיראות וכדי לרכוש נקודת־מבט שולטת. הפרויקט של דומיני ולבה־נדב חוקר את המתח שבין הנוף ה"נשי" לבין האנדרטאות ה"גבריות" השולטות. הוא גם מזכיר לנו שכנגד כל אנדרטה המועמדת כדי להנציח את הנאראטיב הציוני, קיימת מקבילה בדמות חורבות ושיחי צבר, המעידים על נקודת־המבט הפלסטינית על הסכסוך. בכך הדיכוטומיה הזו מדגישה את אי־השוויון בין **האנדרטה הבנויה** לבין **האנדרטה הטבעית**, בין מעשה הבנייה לבין החותם שהושאר בארץ, המייצג אובדן והיעדר.[3]

תמונה 1

תמונה 2

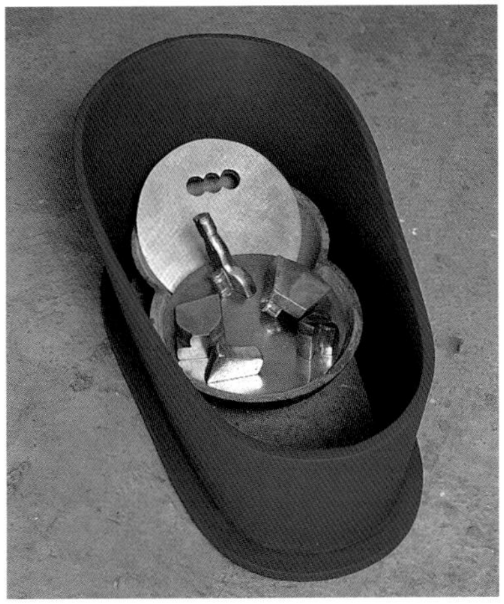

זווית הראייה האישית על השכול היא זו שמשכה את לבה־נדב לפרויקט. את ראייתה עיצבה חוויית אובדן מוקדמת בילדותה. כמהגרת חדשה מצרפת בחברה ישראלית זרה, מצאה כי טקסי האבל הציבוריים מרתקים ומטרידים אותה כאחד. בפרויקט אישי אחד, "יומן עצמאות", החלה לצלם כל שנה את טקסי הזיכרון בבית־הספר שבו למדו ילדיה, תוך שהיא מבינה את האירוניה העצובה בכך שבתיעוד האישי של גדילת הבן גלום גם תיעוד אפשרי של הנצחתו שלו (ושל כל בן) בטקסי הזיכרון הקולקטיביים של בית־הספר (תמונה 3). עברה של לבה־נדב הוליך אותה בפרויקט אחר, "שטח משותף", לחפש עקבות של ארכיטקטורה בסגנון אירופי בכניסות לבנייני מגורים בתל־אביב. כניסות אלה מסמנות את חללי המעבר בין המרחב הפרטי לבין המרחב הציבורי של החיים. השקט שבתצלומים והמעברים החריפים מאפלולית לאור גורמים להם להיראות כמו קברים מודרניים, שאווירת רוחות הרפאים שבהם מזכירה את הרחובות הריקים שצילם אֶזֶ'ן אטגֶ'ה (Atget) בסוף המאה התשע־עשרה; חללים ללא בני־אדם, שגרמו לוואלטר בנימין להעיר כי תצלומיו של אטג'ה נראים כמו זירות פשע (תמונה 4).

עבודתן של דומיני ולבה־נדב מסתמכת על "הֲזָרָה" צילומית, מונח פורמליסטי ביקורתי המשמש בספרות ובצילום כדי לתאר את משימת ביטול המוּכָּר שבמציאות כדי לגרום לה להתבלט לעין המתבונן. מידת הצלחתן של דומיני ולבה־נדב תלויה בעיקר בשלושה סוגי זוויות צילום: בזווית הפרונטלית יש בדרך־כלל סכנה שנקודת־המבט של הצלם תתלכד עם נקודת־המבט הרשמית המשתמעת של האנדרטה, המניחה כאילו עומד מולה צופה במהלך טקס זיכרון. (הטקסטים שעל האנדרטאות מלמדים כי אכן יש להן צד קדמי וצד אחורי ומראים לצופה מהו המקום שבו עליו לעמוד מולן.) התבוננות באנדרטאות מצידיהן מזמנת הזדמנויות בשפע להדגיש או לגמד אותן ביחס לסביבתן. זו פרספקטיבה שיכולה ליצור את הרושם שהאנדרטה מתמזגת בנוף – או להראות איזו הפרעה היא מהווה. המבט מאחור, שלבה־נדב ודומיני כמעט ולא משתמשות בו, הוא הרדיקלי ביותר, משום שיש בו משום ביטול של ערכן ההנצחתי של רוב האנדרטאות ושיטוח ייחודן לתבנית קלישאית אחידה.

השיקולים האסתטיים של חקירת נוף האנדרטאות מעלים סוגיות דומות לאלה שנתקלו בהן צלמי הנוף האמריקאים בשנות ה־80 של המאה העשרים. עבודתם של צלמים דוגמת ריצ'רד מיזראך (Misrach) וג'ון פאל (Pfahl) היא דוגמה לכך. מיזראך יצא לתעד את הנזק הנורא שנגרם למדבר נוואדה אחרי שתימרוני הצבא האמריקאי הרסו את פני הקרקע. אולם למעשה

תמונה 3

תמונה 4

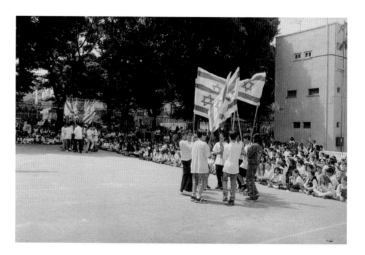

התצלומים יוצרים דיסונאנס בין המסר הפוליטי והאקולוגי שאליו התכוונו לבין השפעתם האסתטית: את הרושם הציורי הנעים ביותר לעין יוצרים דווקא המכתשים, שהם־הם הנזק שגרמו הפצצות והטילים. בדומה לכך, העשן המתאבך מתחנות הכוח בצילומיו של פאל נועד לסמן לנו כמה נורא זיהום הטבע שהן גורמות, אך יופיים של התצלומים נובע דווקא מאותם אפקטים של עשן העולה מארובות התחנות.[4] תצלומיהן של דומיני ולבה־נדב מתכוונים להראות לנו נוף של מוות שכוחו נובע מעצם הצטברותן של כל האנדרטאות, אולם הם גם מקנים אינדיבידואליות לכל אנדרטה בדרך נעימה ואסתטית, המעוררת אותנו לאופן שבו צורותיהן משתלבות בנוף.

לבה־נדב החליטה להשתמש לפרויקט זה במצלמת הברוניקה שלה. מצלמה זו, בפורמט בינוני, הבטיחה לה ניידות ויחד עם זאת נתנה בידיה תשליל בגודל מספיק כדי להגדיל את התצלומים בלי שיקבלו מראה מגורען. מצלמה בפורמט 6x6 מעלה בדרך־כלל אסוציאציה של גוף הצלם ולא של עינו, משום שמחזיקים בה בגובה המותניים והיא מספקת "מראה מגובה הטבור" של המציאות. (במצבים קיצוניים, כאשר לבה־נדב ודומיני לא רצו להביט באנדרטאות מלמטה למעלה, כדי שלא להדגיש את יציבתן הדרמטית, הן השתמשו בסולם כדי להביט באובייקטים בערך מאותו הגובה.) המצלמה בפורמט 6x6 לטווח בינוני עומדת בין שני סוגים של צפייה: הניידות שלה מזכירה מצלמת 35 מ"מ, שאנו מקשרים במוחנו עם נקודת־המבט הנודדת של "עובר האורח" העירוני המציץ חטופות במציאות באמצעות שורה של מפגשים אקראיים ולוכד את "הרגעים המכריעים" ברחובות. הפורמט הזה איפשר לצלמים דוגמת רוברט פרנק (Frank) ללכוד את הנופים העירוניים בעת טיוליהם, ושימש את לי פרידלנדר (Friedlander), בין סצינות הרחוב האחרות שלו, לצילום סידרה של אנדרטאות (לבה־נדב שאבה השראה מצלמים אלה ומרגישה שעבודתה מקיימת דיאלוג עימם).[5] מצד שני, הפורמט הבינוני שייך לתחום הרגישות של טכניקות צילום בפורמט גדול יותר, שבהן משתמשים בתצלומי נוף כדי למסור את תחושת נצחיות הנוף על־פני הזמן. כתוצאה מכך, דומיני ולבה־נדב מנצלות את הפורמט העומד לרשותן בשני אופנים: יש אנדרטאות שהן מצלמות מקרוב, וכך משתמשות בפורמט הרבוע, המוכר בהקשרו לצילום דיוקנאות, כדי ליצור יחסים אישיים יותר עם האנדרטה; ויש אנדרטאות שהן כוללות במבט רחב יותר על הנוף, ובכך יוצרות מתח בין הפורמט הרבוע לבין ציפייתנו לראות נופים בפורמט פנורמי מלבני.[6]

לכוון מצלמה אל עבר אנדרטה אינו דבר של מה בכך. הדבר מעלה כמה

שאלות יסוד: האם זהו מעשה טאוטולוגי המבטא את הדמיון בין תצלומים לבין אנדרטאות, בכך ששניהם אמורים להקים את העבר לתחייה ולשמש לצורכי הנצחה? האם אנדרטאות, כמו תצלומים, מעידות על אותו הצורך לסמן "מקום" דפיניטיבי שבו התרחשו מעשים כדי לזכור אותם? האם שניהם מלמדים על אותו סוג של טכניקות עדות? בארת' ציין כי תצלומים כלל אינם יכולים לגרום לנו להיזכר בכל מה שקרה באירוע מסוים, אלא משימתם היא בעיקר להוכיח שהאירוע אכן התרחש.[7] תצלומים יוצרים דיכוטומיה בין יכולתו של התצלום לקבוע שאכן היה מישהו שצפה בסצינה לבין יכולתה המכאנית של המצלמה לצלם מקום או אירוע גם ללא אדם שעומד מאחוריה (במיוחד הטכנולוגיה המודרנית איפשרה למצלמות לפעול בעצמן); נקודת־המבט הראשונה מעידה על ההיבטים הסובייקטיביים של הצילום, והשנייה על אופיו האובייקטיבי והפאסיבי.

איזו מין תחושה של צפייה בנוכחות, או היעדר תחושה כזו, מגלים התצלומים בספר זה? האם הם מעידים על נקודת־מבטן של השתיים שבאו במתכוון לצוד ולאסוף את האנדרטות במצלמתן, ומטרתן היא להעיד כי מישהו לא שכח את המקומות האלה, ובכך גם לחזק את הרעיון שהאנדרטה אכן מצליחה ליישם את תפקידה – להפקיע את הזיכרון האישי ולנכס אותו לזיכרון קולקטיבי שאמור למסד את הזיכרון להיגיון ולמסר אחיד? או לחלופין, האם הבחירה להציג אנדרטאות רבות כל־כך שאין איש פוקד אותן (למעט שני מקרים שבהם נראים בתצלומים בני־אדם), מטרתה להראות כיצד נראות כל האנדרטאות כאשר אין מי שמתבונן בהן, ולכן התצלומים מעידים בעצם על השיכחה כחלק בלתי־נפרד מתהליך הזיכרון?

השימוש במילים "כל מקום" בכותרת הספר הזה, ולא במילה "המקום" מרמז לנו במשהו על התשובה. המשמעות הייחודית של כל אנדרטה נכבשת לתוך מסה אחידה בשל כמות האתרים, וכך אנו נזכרים שרוב הזמן אנו חולפים על פני המקומות האלה ואיננו טורחים להשגיח בהם, משום שהם מתמוססים אל תוך ההוויה היומיומית שלנו. רק פעם בשנה, בשעה היעודה, כאשר בני־אדם עומדים אל מול האנדרטאות לדקת דומייה, או־אז מבינים אנו את היחסים המרומזים שבין הצילום לבין האנדרטאות: ברגע היעוד עוצרת הצפירה את תנועות בני־האדם והופכת את כולם לתצלום קפוא. צלילה הצרחני שוזר את כל רגשי השכול האישיים והקולקטיביים בארץ ואז גווע ומשחרר לאיטו את בני־האדם מתנוחותיהם הפסליות. באותם רגעי דומייה הכל מתהפך: "עובר האורח" נאלץ לקפוא בעת שהאובייקט החומרי הדומם מתעורר לפתע לחיים ומאפשר לנו להשגיח בתנועות הקלות ביותר: נייר המתעופף ברחוב או עלים רוטטים בחורשה, שלא היינו משגיחים בהם לעולם אלמלא כן.

רגע הצפירה הוא הזמן היחיד שבו התצלום והאנדרטה מתלכדים, שכן בכל זמן אחר תפקידיהם מובחנים ביותר: האנדרטה, השייכת להמשכיות המסורת ולמרחב הפולחני, מייצגת את העבר הרחוק. מעבר הזמן יכול לגרום לאנדרטאות להיות גם יותר משמעותיות וגם לא רלוונטיות. האנדרטה יכולה לסמן אירוע ספציפי על־ידי הנצחתו במקום "האמיתי", אולם היא יכולה לעשות זאת גם בכל מקום אחר. האנדרטה מנסה להתעלות מעל לזמן ולתפקד כזיכרון צרוף, בניגוד לתצלום, המוגבל לעדות על רגע מסוים שהתרחש בזמן. התצלום שייך לאותם אפקטים של הלם ורגעים מקוטעים המתעדים אירועים כאילו מעולם לא הבשילו. התצלום הוא תיאורי יותר, ולאו דווקא נושא את המשקל הסיפורי שהאנדרטה אוצרת בחובה. התצלום מסוגל יותר להעיד, כפשוטו, על העובדה שהאירוע התרחש – מה שמאפשר לדורות הבאים להזדהות עם האירוע ואפילו לבנות אותו בזכרונם שלהם מתוך התצלומים. (בטיולי הזיכרון של תלמידי בית־ספר בישראל למחנות הריכוז וההשמדה באירופה מגיעים הצעירים ומחפשים את מסילות הרכבת המוכרות ו"זכורות" להם מן הדימוי שקדם לביקורם.)

בעידן הפוסט־מודרני שבו אנו חיים, הדיכוטומיה בין האנדרטה לבין ההתקדמות החדשה בטכנולוגיית המצלמה גרמה לזיכרון, במילותיו של אנדריאס הויסן (Huyssen), "לנדוד אל תוך מחוזות שבבי הסיליקון, המחשבים והאורגניזמים הקיברנטיים".[8] הויסן טוען שטעות היא להאמין, כפי שמאמינים מבקרים רבים של הפוסט־מודרניזם, שמצלמות וטכנולוגיה יוצרים אֶנטרוֹפיה של הזיכרון ההיסטורי, הגורמת לשיכחה קולקטיבית ובעקבותיה לאי־נכונות לעסוק בזכירה אקטיבית של העבר. למעשה, הוא טוען, מאז שנות ה־80 של המאה העשרים עשו אמצעי התקשורת רבות כדי ליצור אקלים של זיכרון שהפך את העבר לאובססיה של בני־אדם רבים והביא ליצירת המוני אנדרטאות, מוזיאונים ומאגרי נתונים. היכולת להשיג יותר מידע במהירות כה רבה רק הגדילה את כמות המידע מן העבר, הנשמר כדי שאפשר יהיה למוסרו במהירות בהווה. הוא מוסיף, שאולי הצלחת המוזיאון והאנדרטה בהווה קשורה דווקא למה שהטלוויזיה והאינטרנט

אינם מאפשרים: האיכות החומרית של האובייקט. "קביעותם של האנדרטה ושל החפץ המוזיאלי, שבעבר נמתחה ביקורת על כך שאינם אלא החפצה (ראיפיקציה) ממיתה, מקבלת כעת תפקיד שונה בתרבות שבה שולטים הדימויים החולפים שעל המרקע ואי־החומריות של התקשורת."[9]

בהקשר זה, משמעותן של האנדרטאות בעבודתן של דומיני ולבה־נדב מופקת גם מן האופן שבו "התגלגלו" הדימויים במשך תיעודם והצגתם: בשלב הראשון יצאו דומיני ולבה־נדב לדרכן כשבידיהן הספר **גלעד**, שפורסם על־ידי משרד הביטחון, בראש ובראשונה עבור משפחות שאיבדו את בניהן ויקיריהן בקרב.[10] הן השתמשו בספר כמפה שהוליכה אותן בכעין מסע ציד בעקבות האנדרטאות הפזורות ברחבי הארץ. בשלב השני הוצגו התצלומים בתערוכה בסדנאות האמנים.[11] חלל הגלריה סיפק קשר חזק בין התצלומים הגדולים לבין מימדיהן האמיתיים של האנדרטאות. האופן שבו נתלו התצלומים איפשר ליצור דו־שיח חדש בין האנדרטאות, שבמציאות עמדו הרחק זו מזו. תהליך יצירת התערוכה כולו איפשר לבנות חוויה מרחבית, היוצרת מיתאם בין תחושת המסע של האמנית והצלמת לבין הצורך של הצופה עצמו ללכת ממקום למקום בתוך הגלריה.

בשלב האחרון, על־ידי העברת התצלומים לספר משלהם, נעקרות האנדרטאות הציבוריות הגדולות שוב, וגודלן קטֵן עם העברתן לתחומו של הדף הנאחז ביד ונצפה בתוך חלל פנימי – תזכורת לכך שהשכול והאבל תמיד מתחילים מחוויה פרטית; כזו שהובילה את לבה־נדב להעיר כי כל ההורים בארצנו חתומים על חוזה עגום עם המדינה: זו מבקשת מהם להקריב את בניהם ומבטיחה לספק להם בתמורה זיכרון קולקטיבי נאות אם הללו ימותו. כאשר החוזה מתחיל להתערער, מסיבות רעיוניות או תרבותיות, ניתן להבחין בשינוי באופן שבו המשפחות מבטאות את תחושת האובדן כלפי בניהן. ביקורת מן הזמן האחרון כלפי הטקסים הצבאיים והממלכתיים גרמה להורים לבקש להם צורות אישיות יותר של מנהגי הנצחה: השימוש בסרטי וידיאו ביתיים, יצירתם של "מוזיאונים פרטיים" בבתיהם והצורך להוסיף עוד זוטות אישיות למצבות, מדגישים את הדרך שבה בני־אדם משתדלים להתרחק מצורות הזיכרון הקולקטיביות כדי לצקת יותר אינדיבידואליות במנהגי הזיכרון שלהם.

ברגע שבו האנדרטה הופכת מסימן המסמל את אי־נראותו של אירוע מן העבר לאובייקט צילומי נגיש בהווה, אנו חשים בדומייה המעציבה השורה על אובייקטים אלה. דווקא בשל דומייה זו יש הכרח עז שאל הדימויים האלה תתלווה פעולת כתיבה, כאילו דומיני ולבה־נדב נזקקו למישהו נוסף שיהיה עד למעשה העדות שלהן כדי להשלים את כוונתו. שלושה כותבים הוזמנו לתרום לנושא האנדרטאות והזיכרון באמצעות דיאלוג עם התצלומים שבספר זה. ב"תיאטרון הזיכרון והמוות: אנדרטות וטקסים בישראל", **אבנר בן־עמוס** מתייחס לרעיון האנדרטה לא כפסל בתוך נוף אלא כתפאורת במה המספקת זירה תיאטרלית לאותם ימים ספורים בשנה שבהם נערכים הטקסים להנצחת החללים. בן־עמוס בוחן את הדרך שבה תפאורות אלה יוצרות את התנאים הדרמטיים ההכרחיים לעריכת הטקסים הפולחניים בפני קהל. הוא מתאר את האביזרים שמשתמשים בהם כדי ליצור משמעויות סימבוליות וטוען שהדפוסים הפולחניים החוזרים על עצמם בטקסים אלה נועדו להפוך את האנדרטאות ל"גופים טבעיים", שגורמים כך לקורבנם של החיילים להיראות "טבעי" אף הוא. המאמץ של המדינה להנציח את זכר הנופלים באמצעות אנדרטאות וטקסים הוא אחד ממקורות הכוח שלה: הוא מבטיח שעוד ועוד דורות של צעירים ימשיכו באותו נתיב וילכו ללא ערעור אל מותם.

ב"העולם מלא זכירה ושכחה" מזמינה אותנו **יעל שנקר** להתבונן בחוליקאת – התבוננות שהיא פותחת במסע חיפושים אחר דיקי, שנפל שם בקרבות 1948. שנקר דנה בשלושה סוגי זכרונות הקשורים באותו אתר: שיריו של עמיחי; האנדרטה שבה היא ביקרה בחיפושיה אחרי דיקי, שאותו פגשה לראשונה בשיריו של יהודה עמיחי; והתצלום של גבעה 138.5 בחוליקאת. במהלך הדיון היא עומדת על היחסים השבריריים שבין האפשרויות שמציא הזיכרון: "זיכרון חי" המיוצג בנסיונו של המשורר לזכור זיכרון פרטי, ולחזור אל הרגע שקדם לרגע המוות, ו"זיכרון של מת", הוא הזיכרון שמציעה האנדרטה, שנועדה להזכיר את כל אותם חיילים שנפלו וקולם כבר נדם. שנקר עוסקת בלשון המוסרת את תהליך הזיכרון בשירים ובכיתוב שעל האנדרטה. באמצעות הקריאה בטקסטים הללו היא בוחנת את שאלת היכולת של המתבונן להיזכר בזיכרון שאינו שלו ואת האפשרות להשתייך לקהילת זיכרון. ההיזכרויות השונות שהיא מתארת, הצילום, המסע אחרי דיקי, והאנדרטה, כל אחד מהם בדרכו מנסה לטשטש את הגבול בין העבר להווה, בין נוכחות להיעדר, ובין זיכרון לשיכחה.

בשעה שבן־עמוס בוחר לדון במה שלא נוכח בתצלומים, והניתוח הטקסטואלי

של שנקר שוזר חוט של אסוציאציות המנגד בין גבולות האנדרטה והתצלום לבין עוצמתם של הדימויים הפואטיים, הרי ש**חנן חבר** תוקף את התצלומים חזיתית. ב"מול הקברים" חבר מעיין בשתי אנדרטאות, אך אינו מסתפק במשמעותן כפשוטה, אלא מציב את תצלום פסלו של נתן רפפורט (1953), המוצב בקיבוץ נגבה, לצד תצלום פסלה של בתיה לישנסקי מכפר יהושע (1953). מטרתו היא להראות את השרשרת התוצאתית שחוליותיה עוברות מנסיבות יצירתם של הפסלים דרך מקומם במרחב, אל רישומם על הסביבה ולבסוף לאופן שבו יוצגו בתצלומים. כל שלב מאשר שוב את היחסים בין הסיבה, התוצאה והקליטה ומדגיש את הניגוד בין דרכי היצירה של אמן ושל אמנית בהקימם אנדרטה. פסלו של רפפורט מסמל בעזרת שלוש דמויות את פרשת העמידה של נגבה בקרבות 48'. כסמל, הדמות הפרטית הופכת למסמנת של מכלול גדול יותר, שהוא סימבולי ללאום; פסלה של בתיה לישנסקי, פסלת־אשה, מפרק את הקודים הסמליים החביבים כל־כך על השיח הלאומי ההגמוני ומציג, תחת זאת, ארבע דמויות מסותתות ביד גסה, רחוקות מן הגיזרה המדויקת של הגופים בפסל של רפפורט. אצל לישנסקי הדמויות הכפופות פורעות את הסדר הסמלי המהודק ומציגות אלגוריה, אשר באמצעות הייצוג המכאני שלה מייצגת דווקא עולם של חורבות ושל הרס ואינה מצייתת לסיפור של גאולה לאומית.

כשאנו מעלעלים באנדרטאות שבספר ומניחים לדפים להחליק בחופזה בין אצבעותינו – ואגב כך מגלים את מיגוון התצלומים הרבועים המוצגים בצמדים או בנפרד אל מול עמוד ריק; מסודרים בטור כמו במבט ממכונית נוסעת; מקובצים בדפי הכפולה בתבנית שתי וערב כמו מבט מגבוה על בית קברות – אנו יכולים לקרוא דרור לדמיוננו ולראות את כל האתרים האלה ממעוף הציפור, יוצרים מצבורי נקודות על מפת המדינה. כעת מתחילות צורותיהן לדמות למטריצת הנקודות המודפסות של עמוד בעיתון, המגיש לנו מדי יום ביומו עוד בשורות של זוועה; או אולי הן דומות למשחק שבו ילד קטן נדרש לשרטט בעפרונו קו מנקודה לנקודה עד שמתגלית על הדף דמות.

אותיר לקוראים לדמיין את תחושת ההתרגשות והחרדה שהיה הילד חש אילו היה עליו לשחק משחק זה בנקודות המרחביות של אתרי האנדרטאות שבפנינו – איזו דמות אימים היתה מצטיירת על הדף? הדמות הזו גורמת לי לקוות שספר זה יהפוך גם הוא למדריך לדור הבא של צלמים שייצא למסע אל הנוף המשתנה תדיר, שבו הקמת אנדרטאות מתחרה במהירותה בבניית נדל"ן והפשרת אדמות מדינה, כדי למצוא דרכים אחרות לפרש בצורה ביקורתית את הנוף הזה. נוף, שבקיצוניותו האחת הוא מושך משפחות מתנחלים לגור באזורים המוגנים במערכי גדרות ומגדלי תצפית כדי ליצור "שמורות" המתפקדות כבר כאנדרטאות לאידיאלים הבלתי מציאותיים שלהן, או, בקצה השני של הקשת, מעניק מפלט "בטוח" לשרידי השמאל ומשפחות "העידן החדש", הבוחרות לגור במקומות שכבר אינם מזכירים להן את המציאות שבה הן חיות, בתקווה שבמקומות מחבואן החדשים, ב"בית הרחק מן הבית", יוכלו לא להיחשף לטירוף ולאלימות הפוליטית חסרת ההיגיון שאינה מרפה מאיתנו זמן רב כל־כך; אלימות שמובאת בפנינו באמצעות התקשורת האלקטרונית, שהודות לכוחה הגובר הפכו מעצביה הגראפיים לאדריכלים החדשים של אנדרטאות וירטואליות, שיכולתן לגרום למוחנו המשלטט לזכור את המתים תלויה בזמן הקצר שבו הדימוי נותר על המרקע.

תל־אביב, מארס 2002

1. רולאן בארת', **מחשבות על הצילום**, כתר, ירושלים, ללא ציון שנה, עמ' 102.
2. סמדר שפי, "גיגית ללא תחתית", **סטודיו** 25 (ספטמבר 1991): 42; טלי תמיר, "גופייה ומגדל", **משקפיים** 34 (ספטמבר 1998): 59–61; דרורה דומיני, **פסלים 1990–1993** (קטלוג, אוצרת: אלן גינתון), מוזיאון תל אביב, 1993.
3. בעניין ההבחנה בין אנדרטה טבעית לבין אנדרטה מעשה ידי אדם, ראו את המאמר החלוצי על נושא האנדרטאות: Alois Riegl, "The Modern Cult of Monuments: Its Character and Its Origin", *Oppositions* 25 (Fall 1982): 21-51
4. Richard Misrach, *Bravo* 20, Johns Hopkins University Press, 1990. See also, John Pfahl's *Altered Landscapes: The Photographs of John Pfahl*, Carmel, CA: The Friends of Photography, 1981; Estelle Jussim, *A Distanced Land: The Photographs of John Pfahl*, Ulbuquerque: University of New Mexico Press, 1990
5. Lee Friedlander, *The American Monument*, Eakins, The Eakins Press Foundation, New York 1976
6. דיון מאיר עיניים במתח הנוצר באמצעות צילום נוף בפורמט רבוע מציעה שרה בריטברג־סמל בקטלוג שלה לתערוכה של דליה אמוץ; ראו שרה בריטברג־סמל, **קשה שפה: דליה אמוץ, צלמת**, מוזיאון תל אביב לאמנות, 2000.
7. רולאן בארת' וזיגפריד קרקאוור דנו באופן משכנע ביותר בתפקיד הבעייתי שמצליח הצילום למלא בסיוע לזכרוננו ובייצוג העבר. לדיון בתפקידו של הצילום ראו מאמרי "ההיסטוריה, ראשיתה בבית: צילום וזיכרון בכתבי זיגפריד קרקאוור ורולאן בארת'", **תיאוריה וביקורת** 20 (סתיו 2002), בכתובים.
8. Andreas Huyssen, "Monument and Memory in a Postmodern Age", *The Yale Journal of Criticism* 6: 2 (1993): 249
9. שם, 255.
10. אילנה שמיר, **גלעד: אנדרטות לנופלים במערכות ישראל**, משרד הביטחון, ההוצאה לאור 1989.
11. סמדר שפי, "בלי בלורית ובלי תואר", **הארץ**, 8 במארס 2000; סיגל ברניר, **סטודיו** 115 (יולי 2000): 72.

תיאטרון הזיכרון והמוות: אנדרטאות וטקסים בישראל | אבנר בן־עמוס

"הדבר הבולט ביותר במצבות־זיכרון הוא שאין שמים לב אליהן. אין לך דבר בעולמנו שיהיה סמוי מן העין כמצבות־זיכרון. אין ספק שמציבים אותן בשביל שיראו אותן, יתר על כן, אין מציבים אותן אלא בשביל שיעוררו תשומת־לב. ובכל זאת משהו אוטם אותן בפני תשומת־הלב, וזו ניגרת על־פניהן, כטיפות המים על מעטה שמן, ניגרת מהר ואינה משתהה אפילו רגע."[1] במילים ספורות אלה הגדיר רוֹבֶּרט מוּזיל את הפרדוקס של האנדרטה הניצבת בתוך מרחב שאנו חולפים בו מדי יום ביומו. כמו שם הרחוב, שנועד להבליט ולהנציח אירוע או אדם כלשהו אך הופך לסימן סתמי, אחד מני רבים המרכיבים את המרחב העירוני, כך גם האנדרטה: מבנה חד־פעמי, ייחודי, שנבלע עד מהרה בנוף, ואינו זוכה ליותר מאשר מבט מרפרף המוודא שהוא אכן עדיין שם. הדברים נכונים עוד יותר לגבי אנדרטאות הממוקמות בגנים הציבוריים או "בחיק הטבע", היכן שרק מעטים פוקדים אותן. המרחק מן העין הופך למרחק מנטאלי, ומכאן אך כפסע אל השיכחה.

כיצד להחזיר את תשומת־הלב לאנדרטה? מה צריך לעשות כדי להפקיע אותה מן השטף המרחבי ולמקד בה את המבט? האמצעי הפשוט ביותר הוא להכניס את האנדרטה למסגרת שתבודד אותה מן הסביבה, תורה עליה באצבע ותאמר: זהו. הגדר סביב האנדרטה מיועדת לעיתים לשמש כמסגרת שכזו, אך במקרים רבים אין בכך כל תועלת. דוגמא לכך היא מערכת העמודים והחבלים הכחולים הפרושים סביב האנדרטה בגדרה (עמ' 36), אך נראים כמאבדים מכוחם לנוכח עוצמת המדרגות ומבנה אריחי השיש.

גם התמונה יכולה ליצור מסגרת, אולם כפי שמראות עבודותיהן של דומיני ולבה־נדב – זוהי מסגרת גמישה למדי. בחלק מן התצלומים בחרו השתיים להבליט את האנדרטאות, וכך הן מופיעות במרכז התמונה וממלאות אותה בנוכחותן, למשל האנדרטאות בשדרות (עמ' 32) או בבנימינה (עמ' 41). לעומת זאת, בתצלומים אחרים הורדה האנדרטה מגדולתה והפכה לאחד ממרכיבי הנוף המתחרים על תשומת־ליבו של הצופה. כך, למשל, בתצלום האנדרטה למאורעות תרפ"א בפתח תקוה (עמ' 29), שם מהווה הטרקטור האדום כתם צבע בולט המנוגד ללובן האוֹבֶּליסק בתצלום האנדרטה בטבריה (עמ' 38), היכן שהשלטים המסחריים הבוטים "מכסים" את הצדודית השחורה של התותח; ובתצלום האנדרטה לפורצי הדרך לירושלים, במעלה שער הגיא (עמ' 68), היוצר מתח בין השיח האנכי שבחזית ובין מבנה המתכת האלכסוני שמאחור. לעיתים אפילו מתגמדת האנדרטה המצולמת על רקע הנוף שמאחוריה, כמו במקרה של אנדרטת דוב גרונר ברמת גן (עמ' 31, תצלום 2), שמפסידה במאבקה כנגד בית הדירות רחב החזית שמעבר לכביש, או של שורת המשולשים במבוא מודיעים (עמ' 70, תצלום 2), שאינם מסוגלים להתחרות בברושים המחודדים המתנשאים מאחוריהם.

אולם מיסגור האנדרטה במרחב – באמצעות הצילום – הוא רק אחד האמצעים המאפשרים לה לבלוט על פני השטח. אמצעי אחר הוא המיסגור בזמן, דבר הנעשה על־ידי טקס הזיכרון המתרחש לידה. גדעון עפרת מכנה את הטקס הזה "זמן האנדרטה": פרק הזמן המיוחד שבו עובר המבנה תהליך של העצמה, המבדיל בין קיומו בזמן הטקס לקיומו בימים הרגילים האחרים.[2] האנדרטה זקוקה לטקס מפני שהמשמעות שלה מצויה על הרצף שבין הפסל ומצבת הקבר. בעוד הפסל שייך לשדה האמנותי, ומשמעותו אמורה להיות אוניברסלית, מצבת הקבר מסמנת באורח נקודתי כי מתחתיה טמונה גוויה. משמעות האנדרטה, לעומת זאת, שרויה בתחום הביניים החברתי. היא תלויה בקהילה המסוימת שיצרה אותה ומעוניינת להתקשר באמצעותה אל עברה. המיקום המרחבי של האנדרטה קשור במרחב שבו פועלת הקהילה הזוכרת, ואם קשר זה ניתק, הופכת האנדרטה לחסרת ערך. משום כך, למשל, הקימה חטיבת גולני את האנדרטה ללוחמיה דווקא בגליל, ומשום כך האנדרטאות המנציחות את החללים בוגרי בתי־הספר ניצבות תמיד בחצר המוסד החינוכי.

הטקס הוא האירוע הייחודי המכנס את הקהילה – או נציגיה – סביב האנדרטה כדי להיזכר יחדיו. כשם שהאנדרטה זקוקה לטקס, שבמהלכו היא "נטענת" במשמעות על־ידי הקהילה הסובבת אותה, כך גם הטקס עצמו זקוק לאנדרטה. להלכה ניתן לקיים את טקס הזיכרון בכל מקום שהוא, אך בפועל, מאחר שהאנדרטה כבר סימנה מקום מסוים כ"מרחב זוכר" בעל חשיבות לקהילה, יש משמעות מיוחדת לקיום הטקס דווקא לידה. כך מעצימים הטקס והאנדרטה זה את זה ויוצרים יחד אירוע המסמן זמן ומרחב קדושים. מרחב האנדרטה נחשב אמנם ממילא כמרחב קדוש, המובחן מן המרחב העירוני או הטבעי ה"רגיל", אך פרק הזמן המיוחד של הטקס מטעין אותו בקדושת יתר.

כיצד מצליח הטקס להעצים את האנדרטה? מה הופך אותה, במהלכו, לאתר מקודש, הנחלץ מאפרוריות חיי היומיום? את התשובה לכך ניתן לתמצת במילה אחת: תיאטרליות. כפי שמראות דומיני ולבה־נדב בתצלומיהן, חלק

מן האנדרטאות עוצבו מלכתחילה כחלל תיאטרלי: הן כוללות משטח אופקי רחב, כעין במה, הסגור בחלקו האחורי על־ידי קיר שכולל תבליט וכתובת, ומשמש כתפאורה. אלה הם מבנים בעלי "צד" אחד בלבד, קדמי, הפונה אל הקהל, ובו מתרחש הטקס. לצד האחורי של האנדרטה אין כל שימוש באירועים אלה, והוא נחשב ל"מאחורי הקלעים".

כוחן של האנדרטאות האלה לקבוע את נקודת מבטם של הצופים גדול עד כדי כך, שאפילו דומיני ולבה־נדב אינן "מעזות" להביט אל אחוריהן. במרבית התצלומים אנחנו מתבוננים לעבר חזית המבנה, ורק בחלקם נקודת המבט היא צדדית. אך יש גם אנדרטאות אחרות, כאלה המורכבות ממבנה מרכזי אחד, רב־צדדים. אף הן הופכות במהלך הטקס למעין תפאורה, שאליה מיתוספים שאר הסממנים של האירוע התיאטרלי: הקהל, השחקנים, והאביזרים הסמליים.

טקסי הזיכרון הנפוצים ביותר בישראל הם אלה הנערכים לכבוד "חללי מערכות ישראל", כלומר החיילים שנפלו בקרב, שהם גם גיבורי מרבית האנדרטאות. הקהילות שהקימו את האנדרטאות ועורכות את הטקסים לידן, מגוונות ביותר: ערים, כפרים, קיבוצים, יחידות צבא, מוסדות חינוך ותנועות נוער. ואף־על־פי־כן קיים דמיון רב בתבנית הבסיסית של הטקסים, המהווים למעשה טקסי מעבר בין זמן החולין ויום הזיכרון המקודש. מסגרת הזמן של האירוע נקבעת על־ידי הצפירה או תרועת החצוצרה (בהתחלה) ושירת "התקווה" (בסיום), כאשר בתווך נחשפים הנוכחים לתפילת "יזכור", בדרך־כלל בנוסח החילוני ("יזכור עם ישראל..."), לנאום מפי נציג השלטון (מנהל בית־הספר, ראש העיר, אלוף הפיקוד...), ולמסכת הכוללת שירים, דקלומים, ולפעמים אף קטע מחול. הדמיון בין הטקסים אינו מקרי. הוא נובע בעיקר מההנחיות הכלליות של משרד החינוך, ומן ה"רפרטואר" המוגבל של הטקסטים המוצע למארגנים באמצעות חוברות הנערכות ומופצות על ידי גופים רשמיים כגון משרדי ממשלה, רשויות מקומיות וצה"ל. למארגנים יש אמנם חופש לבחור בטקסטים אחרים, אך נראה שמרביתם מעדיפים שלא להשתמש בו.

גם המרחב של האנדרטה ממוסגר מחדש לכבוד הטקס: שורות של כיסאות פלסטיק, חבלים מתוחים, דוכן נואמים, מיקרופונים – כל מה שנחוץ כדי להעיד ש"כאן מתרחש אירוע חגיגי". על כל אלה נוספים כמה אביזרים סמליים המבטאים שלושה מן היסודות הבסיסיים: האש – בדמות הלהבה הבוקעת מתוך קסדת הפלדה ההפוכה או הלפיד הנישא ביד; הרוח – הנושבת בדגל הלאומי שהורד לחצי התורן; האדמה – המיוצגת על־ידי זרי הפרחים שהמשתתפים מביאים איתם. ולעיתים קיים כבר באנדרטה היסוד הרביעי – המים – בדמות מזרקה או בריכה. כך עוברת האנדרטה, מבנה מלאכותי השייך לתחום ה"תרבות", תהליך המקרב אותה לתחום ה"טבע". אם ה"תרבות" היא שרירותית ובת־חלוף, הרי ה"טבע" הוא חלק מן הסדר הנצחי והמובן מאליו. בדומה לכך, קיום הטקס מדי שנה, באותו תאריך, באותה עונה ובאותה מתכונת, מקרב אותו לתחום ה"טבע". בשל כך נוטים הצופים לשכוח כי המתרחש לפניהם – הטקס המשולב באנדרטה – הוא פרי החלטות מסוימות, אילוצים, לחצים ופשרות; הם מאמינים כי מה שיש הוא מה שצריך להיות, כי זהו הסדר הטבעי של הדברים, וכי לא ייתכן אחרת.

מהו אותו "סדר טבעי" שמבטאת חטיבת הזמן והמרחב אנדרטה/טקס? מה אמורים המשתתפים באירוע לחוש? מהי המשמעות הכוללת של העצמים והצלילים המצטרפים לחוויה חושית מקפת? ההקשר שבו יש למקם את האנדרטאות והטקסים לזכר החיילים שנפלו הוא, בראש ובראשונה, ההקשר של מדינת הלאום המודרנית; במקרה שלפנינו המדינה היא ישראל, והלאום הוא יהודי. כפי שנגוגי ווא טיונגו טוען,[3] מדינת הלאום המודרנית היא כולה משטח ענק של מיצג (performance space). המדינה מארגנת את הטריטוריה שלה כתחום מגודר, שהכניסות והיציאות אליו נשמרות בקפידה, ומפגינה את עוצמתה על־ידי החיילים שבגבול ובודקי הדרכונים שבשערים. הטריטוריה הזו מקודשת כולה, וכל פיסת קרקע בה היא בעלת חשיבות עליונה ("אף שעל..."), אך בכל זאת יש מקומות שבהם ההוויה הלאומית באה לידי ביטוי בצורה מזוקקת במיוחד. אחד מאותם מקומות הוא האנדרטה.

אין זה מקרה כי בנדיקט אנדרסון, חוקר הלאומיות, מדגיש את פולחן החיילים המתים כאחד היסודות החשובים של הלאומיות המודרנית.[4] עוצמתה של הלאומיות נובעת, בין השאר, מיכולתה למלא את תפקידי הדת הממוסדת, שכוחה החל לרדת כבר בשלהי המאה השמונה־עשרה: להקנות משמעות לחיים עלי אדמות, ליצור תחושה של קהילה, ובייחוד להבטיח חיי נצח למאמינים. הנצח הלאומי אינו זהה, כמובן, לנצח הדתי בגירסתו המונותיאיסטית. נצח חדש זה מבוסס על ההנחה כי הקהילה הלאומית יכולה ליצור זיכרון קיבוצי משלה, שיתקיים לעד, ובו יישמר זכר אלה שפעלו

למענה. ראשוני המונצחים הם החיילים שנלחמו ונפלו למען הקהילה – ובכך תרמו לקיומה. באופן זה נערך מעין חוזה חברתי בין האומה ובין אזרחיה: אתם, אומרת האומה, תילחמו ואף תקריבו את חייכם למעני, ואילו אני, בתמורה, אדאג לכך שמותכם יהיה בעל משמעות נעלה ("למען המולדת...״), ושזכרכם לא יימחה לעולם מעל האדמה.

כך הופכים האנדרטאות והטקסים למערך התחזוקה של הנצח הלאומי. יש בהם צורך, משום שמעשה ההנצחה החוזר על עצמו הוא ההוכחה לנכונות האומה לשמר את זכר החיילים. לעומת זאת, נצחיות האומה כשלעצמה אינה זקוקה לכל הוכחה: שורשי הקהילה הלאומית טמונים אי־שם בנבכי העבר הרחוק, וקיומה – כגוף קיבוצי – עתיד להימשך עד אין קץ. למרות שהתודעה הלאומית היא תודעה היסטורית, נצחיות הלאום מחלצת אותו מרצף האירועים ההיסטורי המשנה את פניו ללא הרף, ומקנה לו מהות פנימית, אל־זמנית, יציבה. משום כך מוצאים בני ישראל את עצמם נאבקים תמיד "מעטים מול רבים", במצב של יציאה מתמשכת "מעבדות לחירות" – ואין זה משנה מהי הסיטואציה ההיסטורית המסוימת שנקלעו אליה.

בהתאם לכך, גם מעשה ההנצחה הלאומי מטשטש את עקבות הזמן שחלף, ומבליט את הדמיון בין התקופות השונות בחיי הגוף הקיבוצי. מאחר שקיומו של הלאום בהווה מבוסס ממילא על הנחה של אחדות בין כל אנשי האומה, האנדרטאות והטקסים מבטאים תפיסה מרובעת של זהות: אלה שאנו מנציחים אותם היו זהים בינם לבין עצמם, ולא היו ביניהם כל מחלוקות או פילוגים; אנו, המנציחים, זהים בינינו לבין עצמנו; המנציחים והמונצחים זהים ביניהם; אנו נישאר תמיד זהים לעצמנו. הדגש על הזהות יוצר תהליך כפול של הכללה והדרה: כל החיילים המתים מקבלים אותם פנים, ומותם מקבל אותה משמעות – "מוות למען המולדת" – ללא התחשבות ברצונם או מעשיהם הייחודיים. במקביל מורחקים ממעגל ההנצחה כל החיילים המתים שאינם שייכים ללאום המנציח.

החיילים הצעירים שמתו אומרים בשירו של ארצ'יבאלד מקליש:

מיתותינו לא שלנו הן
כי אם שלכם,
ואשר תעשו מהן –
רק הוא יהיה משמען.[5]

ואכן, כפי שמעידים טקסי הזיכרון הנערכים מדי אביב ליד אנדרטאות ברחבי הארץ, מדינת ישראל נטלה לעצמה ללא היסוס את הזכות לקבוע את משמעות מיתותיהם של החיילים הצעירים. הצילומים שבספר מספקים לנו אם כן רק חלק מן התמונה. כדי להשלים אותה יש לדמיין, בנוסף לאנדרטאות, את קהל הצופים, קרייני המסכת, זרי הפרחים, דגלי האומה ותרועת החצוצרה.

1. רוברט מוזיל, **עיזבון של אדם חי**, מצוטט על־ידי אילנה המרמן, "מיידאנק... השם היה יפה," **הארץ**, 4 בדצמבר 1998.
2. גדעון עפרת, "על האנדרטא וחובות המקום," **קו**, 4–5 (נובמבר 1982): עמ' 58–62.
3. Ngugi wa Thiong'o, "The Politics of Performance Space", *The Drama Review* 155 (Fall 1997): pp. 11-30
4. בנדיקט אנדרסון, **קהילות מדומיינות**, תרגום דן דאור, תל־אביב, האוניברסיטה הפתוחה, 1999, עמ' 39–41.
5. ארצ'יבאלד מקליש, "החילים הצעירים שמתו," **מתוך טקס יום הזכרון לחללי צבא הגנה לישראל**, ירושלים, מרכז ההסברה – משרד ראש הממשלה, 1968, עמ' 19.

"העולם מלא זכירה ושכחה" || יעל שנקר

הָעוֹלָם מָלֵא זְכִירָה וְשִׁכְחָה
כְּמוֹ יָם וְיַבָּשָׁה. לִפְעָמִים הַזִּכָּרוֹן
הוּא הַיַּבָּשָׁה הַמּוּצֶקֶת וְהַקַּיֶּמֶת
וְלִפְעָמִים הַזִּכָּרוֹן הוּא הַיָּם שֶׁמְּכַסֶּה הַכֹּל
כְּמוֹ בַּמַּבּוּל וְהַשִּׁכְחָה הִיא יַבָּשָׁה מַצִּילָה כְּמוֹ אֲרָרָט.[1]

עמדתי מול האנדרטה בחוליקאת וחיפשתי את שמו של דיקי בין שמות הנופלים. באתר ההיזכרות הפומבי הזה גם אני מחפשת את "המת הפרטי" שלי. דיקי, חבר קיבוץ גבעת ברנר, לחם במלחמת העצמאות באזור אשדוד, ונפל בחוליקאת ביוני 1948. זה כל מה שאני יודעת עליו. השמות המופיעים על גבי אנדרטאות הם שמות מלאים, אין כינויים או קיצורים, מה שמקשה את החיפוש. אבל אני בטוחה שהוא נמצא שם. עם החיפוש הזה אני מתחילה את "ההיזכרות".

בדברים הבאים אני רוצה להתבונן בחוליקאת. את ההתבוננות באתר הזה אני מבקשת לעשות באמצעות שלושה "זכרונות" שונים: האנדרטה שהוקמה במקום לזכר לוחמי גדוד 54 של חטיבת גבעתי, שיריו של יהודה עמיחי שלחם במקום, והתצלום של גבעה 138.5, שעליה ניצבת אנדרטה לזכר לוחמי חטיבת פלמ"ח הנגב.
לכאורה, הבחירה הטבעית היא להיזכר במקום מן "ההתחלה", מן "הזיכרון הראשון". להתחיל מתיאור המקום, מתיאור הקרבות שהתחוללו בו, או מן האנשים שנפלו בהם. אבל הייתי רוצה להתחיל דווקא מהסוף, מהתצלום של גבעה 138.5 (עמ' 77). בספר מצולמים מקומות ספציפיים. האנדרטאות ממוקמות בנופי הארץ, והמיקום אינו מקרי. מאחורי כל אנדרטה עומד סיפור משלה: קרב שנערך במקום, פלוגה שאיבדה רבים מלוחמיה, עיר שמנציחה את בניה. סיבות אלו, ואחרות, יוצרות קשר כמעט הכרחי בין האנדרטה לבין הנוף שהיא נמצאת בו. המיקום הוא תמיד חלק מן ההסבר. התצלומים שנבחרו לספר מקפידים לגלות את המיקום של כל אנדרטה ואנדרטה. זוהי אולי שיטת הקיטלוג הטבעית ביותר.
מלבד הבחירה במיקום שונה לכל אנדרטה, יש לאנדרטאות השונות מרכיבי זיכרון כמעט קבועים: כתובת זיכרון ושמות הנופלים. בחלק גדול מן התצלומים בספר אי אפשר להבחין בכתובת או בשמות שעל גבי האנדרטה המצולמת. המרחק מהנושא המצולם וזווית הצילום לא תמיד מאפשרים לכיתוב שעל האנדרטה להיראות. בתצלום הזה של חוליקאת לא רק הכתובת על האנדרטה נעדרת, האנדרטה עצמה אינה מופיעה. הגבעה המצולמת היא "אתר ההיזכרות" שהתצלום מציע. ההפניה למקום המסוים הזה מתאפשרת רק בזכות הכיתוב בשולי התצלום. לדברי פראנס לבה־נדב, הצלמת, אין להשמטת האנדרטה מן התצלום הנמקה אידיאולוגית כלשהי. לטענתה, במהלך המסע אחר האנדרטאות, היא ודרורה דומיני למדו להבחין בהן עוד לפני שאיתרו אותן. שורת ברושים הפכה לעיתים סימן היכר שהקדים את האנדרטה עצמה. "והגבעה היתה כל־כך יפה, שבחרנו לצלם אותה."
ומה עוד עומד מאחורי הבחירה הזו? נסיעה באזור הזה של הארץ, בכבישים שבין אשדוד, ניצנים, נגבה, יד מרדכי וחוליקאת (חלץ), מזמנת לנוסע, גם אם זו אינה מטרתו, מפגש עם אתרי היזכרות רבים. גם מי שאינו בקי בקרבות מלחמת העצמאות אינו יכול שלא להבחין דרך השילוט שבצידי הדרכים במלחמה שהתחוללה שם. דומיני ולבה־נדב, שבחרו לנסוע בעקבות האנדרטאות, ניסו כנראה למצוא משהו שהוא מעבר להיזכרות המתווכת. ריבוי האנדרטאות יוצר אולי עומס, קושי להבחין בייחוד של כל אחת מהן. בתצלום הזה הן בחרו לחזור לנוף ש"לפני היות האנדרטה". הבחירה לצלם את הנוף ללא האנדרטה מבטלת את ההכרחיות של התיווך, את ההכרחיות של האנדרטה, ומציעה אתר זיכרון אחר – אתר שמצביע על המתח שבין האנדרטה לבין הנוף שהיה שם לפניה. לשם אני רוצה להפנות את המבט.

האנדרטה לגדוד 54 שלחם בחוליקאת (עמ' 37, תצלום 2) היא "אתר הזיכרון הרשמי" הראשון שהוקם באזור, בשנת 1952. הטקסט שעליה, כמו רבים מן הטקסטים הכתובים שנבחרו לאנדרטאות אחרות, קצר מאוד: "ההלך – ברדתך לנגב זכור אותנו." הטקסט הקצר נועד להיחרת בזכרונו של המתבונן, והוא חלק מן הניסיון לאפשר גם למי שלא נכח בקרב או הכיר את הנופלים לקחת חלק בפעולת ההיזכרות. אולם על־פי מקימי האנדרטה, זו אינה רק אפשרות, אלא כמעט חובה.
הכתובת מבקשת מעובר האורח, זה שאולי נקלע לשם במקרה, "לזכור אותנו". בשם מי "מדברת" האנדרטה, את מי היא מבקשת לזכור? האם רק

את הנופלים בקרב, או את כל אלה שנלחמו במקום? ומה בדיוק מבקשת האנדרטה לזכור – את הקרבות המרים שהתחוללו במקום, או את חייהם של הלוחמים?

במאמר שעוסק באותה אנדרטה מצטט מעוז עזריהו את תוכנית ההנצחה של מתכנניה:

"להקים יד ושם לחברינו שנפלו בקרבות על־ידי מפעל בן שני חלקים: מצבת זיכרון בהיקף גדול ובצורה נאה ובממדים ששום גדוד עדיין לא הקים, ומצבה זאת תעמוד בדרך לנגב ותזכיר לכל היורד לנגב כי במקום זה ועל שחרור הנגב נלחמו חיילינו בגבורה רבה, וכל מי שיעבור במקום יראה וידע גם את שמות הגיבורים אשר נתנו את נפשם במלחמה זו. כל שם יירשם על לוח שישא את שמות החללים."[2]

משני צידיה של האנדרטה לגדוד 54 רשומים שמות הנופלים בקרב. השמות מסודרים בסדר אלפביתי. אין דרגות, אין כינויים, כולם שווים. האנדרטה, בניסוחה האינטימי, המזמין, מציעה למתבונן בה היזכרות. היא הופכת אותו שותף ב"קהילת זיכרון". האפשרות "להיזכר" במי שאינם חלק מן הזיכרון הפרטי שלך נתפסת כאפשרות ממשית ומובנת מאליה.

מושאי הזיכרון הגלויים של האנדרטה הם הנופלים. אולם עזריהו טוען במאמרו כי הכתובת מבקשת דבר נוסף; הוא טוען כי הכיתוב שנבחר לאנדרטה, כמו גם ההפרדה בין הכתובת ובין שמות הנופלים, מרמזים על הרצון של יוזמיה "להזכיר" את גדוד 54 של גבעתי כולו, על נופליו ולוחמיו. היורד לנגב מתבקש להיות שותף אינטימי בזיכרון, אבל הזיכרון רחב יותר מזכר הנופלים. הוא מתבקש לזכור לא רק את המתים אלא את כל מי שלחמו במקום.

בצד השותפות שמציעה האנדרטה, ולמרות הניסוח של דובר קולקטיבי, רבים מן העומדים מולה מחפשים בה את המת הפרטי שלהם, זה שיזכיר להם, זה שאותו הם זוכרים.

כאו אני חוזרת לראשית דברי – לחיפוש אחרי דיקי. גם ההיזכרות שלי בדיקי היא זיכרון של מי שלא הכרתי, ובכל זאת, כשעמדתי מול האנדרטה זכרתי שהוא נפל שם. את דיקי "פגשתי" בשיריו של עמיחי. תחילה בשיר "גשם בשדה קרב", שאותו הוא מקדיש לזכרו, ואחר־כך בשירים נוספים. ב"חוליקאת – השיר השלישי על דיקי" הוא כותב:

בַּגְּבָעוֹת הָאֵלֶּה אֲפִלּוּ מִגְדְּלֵי קִדּוּחַ הַנֵּפְט / הֵם כְּבָר זִכָּרוֹן. כָּאן נָפַל דִּיקִי / שֶׁהָיָה גָּדוֹל מִמֶּנִּי / בְּאַרְבַּע שָׁנִים וְהָיָה לִי כְּאָב / בְּעֵת צָרָה וּמְצוּקָה. עַכְשָׁיו אֲנִי גָּדוֹל מִמֶּנּוּ / בְּאַרְבָּעִים שָׁנָה וַאֲנִי זוֹכֵר אוֹתוֹ / כְּמוֹ בֵּן צָעִיר וַאֲנִי אָב זָקֵן וְאָבֵל.[3]

ובשיר אחר, "קינות על המתים במלחמה":

חֲבֵרִי הַטּוֹב שֶׁמֵּת בִּזְרוֹעוֹתַי וּבְדָמוֹ / בְּחוֹלוֹת אַשְׁדּוֹד. 1948, בְּיוּנִי / הוֹי, חֲבֵרִי / אֲדֹם־הֶחָזֶה דִּיקִי נִפְגַּע / כְּמִגְדַּל הַמַּיִם בְּיַד מָרְדְּכַי. / נִפְגַּע. חוֹר בַּבֶּטֶן. הַכֹּל / זָרַם מִתּוֹכוֹ. // אֲבָל הוּא נִשְׁאַר כָּךְ עוֹמֵד / בְּנוֹף זִכְרוֹנִי, כְּמִגְדַּל־הַמַּיִם בְּיַד־מָרְדְּכַי. // לֹא רָחוֹק מִשָּׁם, נָפַל // קְצָת צָפוֹנָה, לְיַד חוּלֵיקַאת.[4]

הגבעות שאליהן חוזר עמיחי בשירים רבים הן הנוף ש"לפני היות האנדרטה". במובנים רבים זהו אותו נוף שהתצלום של גבעה 138.5 מנסה לתפוס. אותו נוף, ובכל זאת זיכרון אחר. חוליקאת של עמיחי הוא מקום היזכרות פרטי. מול הבקשה להיזכרות שמבקשת האנדרטה, עמיחי מציע את "נוף הזיכרון". ובכל זאת הזיכרון הפרטי הזה הופך לזיכרון ממשי אצל קוראים רבים של שיריו.

ההיזכרות בדיקי, כמו ההיזכרות בנופלים אחרים שאינם מוכרים למתבונן, מתאפשרת לכאורה באמצעות התיווך של האנדרטה שעל אותה גבעה, וגם בתיווכם של עמיחי ו"זוכרים" אחרים. ובכל זאת, שמו של דיקי משיריו של עמיחי אינו מופיע עליה.

דיקי, כמו יהודה עמיחי, נמנה עם לוחמי חטיבת הנגב של הפלמ"ח. החטיבה לחמה במקום בקרבות שקדמו למבצע יואב. נוף האנדרטאות מחבר לעיתים בין מקומות ובין יחידות צבאיות קונקרטיות. ובכל זאת, אני, כמו קוראים אחרים של עמיחי, זוכרת בחוליקאת את דיקי.

הזיכרון של עמיחי והזיכרון שמציעה האנדרטה שונים אם כן במושאיהן. אולם לא רק בכך. הניסוח האינטימי, המזמין, של הכתובת על גבי האנדרטה, יוצר שותפות בין הלוחמים לעוברי האורח שמגיעים למקום. האנדרטה מניחה כי ההיזכרות אפשרית גם אם לא הכרת את הנופלים, גם אם לא הכרת את הלוחמים. ההיזכרות היא לא רק אפשרות, היא בגדר חובה. אצל עמיחי, לעיתים עצם האפשרות להיזכר מוטלת בספק, הזיכרון נתפס פעמים רבות כחמקמק:

הַאִם כָּל זֶה צַעַר? / אֵינֶנִּי יוֹדֵעַ. / עָמַדְתִּי בְּבֵית הַקְּבָרוֹת לָבוּשׁ / בִּגְדֵי

הַסְּוָאָה שֶׁל אָדָם חַי, מִכְנָסַיִם / חוּמִים וְחֻלְצָה צְהֻבָּה כַּשֶּׁמֶשׁ. [...] יוֹם זִכָּרוֹן לְמֵתֵי הַמִּלְחָמָה: לָשִׂים גַּם / אֵבֶל כָּל אָבְדָנֶיךָ עַל אֵבֶל אָבְדָנָם, / אֲפִלּוּ שֶׁל אֲהוּבָה שֶׁעָזְבָה, לְעַרְבֵּב / צַעַר בְּצַעַר, כְּמוֹ הַהִיסְטוֹרְיָה הַחַסְכָנִית / הַמַּעֲמִיסָה חַג וְקָרְבָּן וּכְאֵב עַל / יוֹם אֶחָד לְמוֹעֵד וּזְכִירָה נוֹחָה.[5]

ובשיר אחר, "מאדם אתה ואל אדם תשוב":

...בְּכוּ לַתַּצְלוּם הַזּוֹכֵר בִּמְקוֹמֵנוּ, / בְּכוּ לַנְּיָר הַזּוֹכֵר, / בְּכוּ לַדְּמָעוֹת שֶׁאֵינָן זוֹכְרוֹת.[6]

ההיזכרות אצל עמיחי אינה ממשית תמיד. הצער על המת מתערבב בצער החיים. ההיזכרות היא לא בהכרח בנופלים. ועם כל זה, גם עמיחי תובע לעיתים היזכרות ("חוליקאת – השיר השלישי על דיקי"):

וְאַתֶּם, שֶׁזּוֹכְרִים רַק פָּנִים, / אַל תִּשְׁכְּחוּ אֶת הַיָּדַיִם הַמּוּשָׁטוֹת / וְאֶת הָרַגְלַיִם הָרָצוֹת בְּקַלּוּת / וְאֶת הַמִּלִּים. // זִכְרוּ שֶׁגַּם הַיְּצִיאָה לַקְּרָבוֹת הַנּוֹרָאִים / עוֹבֶרֶת תָּמִיד דֶּרֶךְ גַּנִּים וְחַלּוֹנוֹת / וִילָדִים מְשַׂחֲקִים וְכֶלֶב נוֹבֵחַ. // זִכְרוּ וְהַזְכִּירוּ לַפְּרִי שֶׁנָּשַׁר / וְאַל תִּשְׁכְּחוּ שֶׁגַּם הָאֶגְרוֹף / הָיָה פַּעַם כַּף יָד פְּתוּחָה וְאֶצְבָּעוֹת.[7]

התביעה של עמיחי לזיכרון היא תביעה להיזכרות באופציה אחרת. הוא אינו מסתפק בזיכרון של רגע המוות, בתמונה שהוקפאה. ההיזכרות בעיקרה מכוונת לחיים שקדמו למלחמה, לרגע הבחירה, למה שיכול היה להיות אחרת. המוות מקפיא את התמונה בנוף הזיכרון. "ההחייאה" של הזיכרון מחזירה אל הרגע שלפני המוות, הרגע שהיתה בו עדיין אפשרות אחרת, שבו האגרוף היה כף יד פתוחה. זהו "הזיכרון החי" של אדם חי. ההיזכרות ברגע המוות מנסחת הבדל בין מתים לחיים. בנוף הזיכרון של עמיחי, דיקי נשאר צעיר. עמיחי שבגר מביט בו כמו אב בבנו. "ההתבגרות" של עמיחי "והעצירה" של דיקי, היפוך היחסים האבסורדי הזה, מזכירים שוב את מה שצריך היה להיות אחרת.

עמיחי לכאורה מציע היזכרות שאינה תלויה באנדרטה, ואולי אפילו מנוגדת לה. הזיכרון הוא פרטי, וחי. אבל גם עמיחי נדרש למקום ההיזכרות. כך למשל במחזור השירים "בחיי בחיי" מתאר עמיחי חזרה למקום כמו בטקס:

אֲנִי מֻכְרָח תָּמִיד לַחֲזֹר לְחוֹלוֹת אַשְׁדּוֹד / שֶׁבָּהֶם הָיָה לִי קְצָת אֹמֶץ בַּקְּרָב הַהוּא, בַּמִּלְחָמָה הַהִיא, / גִּבּוֹר רַךְ בַּחוֹל הָרַךְ. אֶת כָּל מְעַט גְּבוּרָתִי בִּזְבַּזְתִּי אָז, / לָכֵן אֲנִי תָּמִיד חוֹזֵר לְחוֹלוֹת אַשְׁדּוֹד, עַכְשָׁו שָׁם / חוֹלוֹת נוֹפְשִׁים וּמִתְרַחֲצִים בַּיָּם וִילָדִים מְשַׂחֲקִים / וּדְגָלִים וּמַצִּיל. וְאָז לֹא הָיוּ דְּגָלִים וְלֹא הָיָה מַצִּיל.[8]

או בשיר "תל גת":

הֵבֵאתִי אֶת יְלָדַי אֶל הַתֵּל שֶׁבּוֹ הָיוּ לִי קְרָבוֹת לְפָנִים / שֶׁיָּבִינוּ לְמַעֲשַׂי שֶׁעָשִׂיתִי / וְיִסְלְחוּ לִי עַל מַעֲשַׂי שֶׁלֹּא עָשִׂיתִי.[9]

עמיחי מצרף את ילדיו אל הטקס, אבל הם אינם חלק מקהילת הזיכרון. הם באים אל המקום לא כדי לזכור את המתים, אלא כדי להבין את אביהם החי. ההיזכרות הממשית במתים אפשרית, אם בכלל, רק למי שנכחו, רק למי שהכירו.

בקובץ שיריו האחרון, פתוח סגור פתוח, שיצא לאור שנתיים לפני מותו, הולך עמיחי צעד נוסף בחיפוש אחר אותו נוף זיכרון פרטי. מחזור שיריו "ומי יזכור את הזוכרים" נפתח בטורים הבאים:

פְּסוּקִים לְיוֹם הַזִּכָּרוֹן, מִזְמוֹר זְכִירָה / לַמֵּתִים בַּמִּלְחָמָה. גַּם דּוֹר הַזּוֹכְרִים הוֹלֵךְ וּמֵת, / חֶצְיוֹ בְּשֵׂיבָה טוֹבָה, חֶצְיוֹ בְּשֵׂיבָה רָעָה, / וּמִי יִזְכֹּר אֶת הַזּוֹכְרִים?[10]

על־פי עמיחי, הזיכרון האפשרי היחיד הוא אולי הזיכרון של מי שהכיר את הנופלים. אבל גם הוא, כמו יוצרי האנדרטה, פוחד מן השכחה; גם הוא מחפש דרך להרחיב את גבולותיה של "קהילת הזוכרים". לכאורה שיריו שלו עושים זאת. לא רק ילדיו הפרטיים "מכירים" את חולות אשדוד או את דיקי דרך זכרונותיו; גם קוראיו הם בבחינת זוכרים. אבל עמיחי מבקש לדייק דור הזוכרים הולך ומת. הזיכרון המתווך אינו אותו הזיכרון של מי שנכח. האפשרות היחידה של שימור זכר הנופלים היא "לזכור את הזוכרים". הפחד מן השכחה, אי־ההשלמה עם ההיעדר, והרצון "להנכיח את הנופלים", כל אלה מניעים אולי את מי "שמזכיר". את הזיכרון הזה, כמו כל זיכרון אחר, אפשר רק להציע.

עמיחי שכל ימיו זכר, מציע בסוף ימיו, באותו מחזור שירים, את השכחה:

וּמִי יִזְכֹּר? וּבַמֶּה מְשַׁמְּרִים זִכָּרוֹן? בַּמֶּה מְשַׁמְּרִים בִּכְלָל בָּעוֹלָם, / מְשַׁמְּרִים בְּמֶלַח וּבְסֻכָּר, בְּחֹם גָּבֹהַּ וּבְהַקְפָּאָה עֲמֻקָּה / בַּאֲטִימָה מֻחְלֶטֶת, בְּיִבּוּשׁ וּבַחֲנִיטָה. / אֲבָל שִׁמּוּר הַזִּכָּרוֹן הַטּוֹב בְּיוֹתֵר הוּא / לְשַׁמְּרוֹ בְּתוֹךְ הַשִּׁכְחָה שֶׁאַף זְכִירָה אַחַת / לֹא תּוּכַל לְעוֹלָם לַחְדֹּר לְתוֹכָהּ וּלְהַפְרִיעַ אֶת מְנוּחַת הַנֶּצַח / שֶׁל הַזִּכָּרוֹן.[11]

עבור עמיחי, שכחה היא לפעמים הדרך היחידה לשאת "זיכרון חי". כמי

שנכח בקרבות, והכיר את הנופלים, מבקש עמיחי לשמר את הזיכרון בתוך השכחה, "להניח לו", לשמור אותו שלם. מה שמבחין אולי בין "הזוכרים" השונים הוא "חיותו" של הזיכרון. היזכרות במי שלא הכרת היא לפעמים קלה יותר. "זיכרון חי" הוא לעיתים מכאיב יותר, הגבול שבינו לבין ההווה מיטשטש. עמיחי אינו פוחד מן השכחה, בשבילו השכחה אינה מנוגדת לזיכרון. השכחה מאפשרת את הזיכרון, הזיכרון מאפשר את השכחה.

...לִפְעָמִים הַזִּכָּרוֹן / הוּא הַיַּבָּשָׁה הַמּוּצֶקֶת וְהַקַּיֶּמֶת / וְלִפְעָמִים הַזִּכָּרוֹן הוּא הַיָּם שֶׁמְּכַסֶּה הַכֹּל / כְּמוֹ בַּמַּבּוּל וְהַשִּׁכְחָה הִיא יַבָּשָׁה מַצִּילָה כְּמוֹ אֲרָרָט.[12]

הזכרונות שבחרתי לתאר, התצלומים, האנדרטאות, שיריו של עמיחי, כל אלה הם נסיונות להנכיח את מה שנעדר. כל "הזכרונות" הם בהכרח זכרונות מתווכים; המודעות לתיווך היא חלק מן הניסיון להצביע על דבר שהוא "מעבר לנראה", "מעבר לתיווך". התצלום המסוים של גבעה 138.5 "נזכר" בחוליקאת דרך הנוף, ו"משכיח" את האנדרטה. התצלום מבקש את "הנוף שלפני היות האנדרטה". עמיחי "מדור הזוכרים" כותב על המתים ומבקש את "רגע הבחירה", את מה שקדם ל"חולות אשדוד", את מה שיסביר לילדיו את אבהותו. האנדרטה לכאורה מנוגדת לכולם. היא מבקשת להצביע על אתר וקרב קונקרטיים, ולהזכיר את הלוחמים שנפלו בו. אולם גם היא מבקשת ברמיזה דבר נוסף, היא מבקשת באופן סמוי לזכור גם את החיים, ובעיקר היא מבקשת שותפות.

כאן אני חוזרת לראשיתו של המסע. אני מחפשת את שמו של דיקי באנדרטה "הלא נכונה" משום שחוליקאת המקום שבו היא נמצאת, "מזכיר לי אותו". לזיכרון יש דרכים משלו. החיפוש שלי אחרי דיקי, הניסיון של הצלמות לתאר את הנוף שהקדים את האנדרטה, והבקשה האינטימית שמבקשת האנדרטה – כל אלה מבקשים את הזיכרון. יתרונו של הזיכרון, לעיתים, הוא אולי בכוחו לטשטש את הגבול בין מה שנוכח ומה שנעדר, בין מה שהוא זיכרון פרטי לבין מה שהוא מפגש עם זיכרון אחר. בין מה שהוא "זיכרון חי", לבין מה שהוא "זיכרון של מת". החיפוש אחרי הזיכרון הוא אולי החיפוש אחרי "מעבר הגבול" הזה.

1. יהודה עמיחי, **פתוח סגור פתוח**, שוקן, ירושלים ותל־אביב תשנ"ח–1998, עמ' 112.
2. מעוז עזריהו, "ההלך – ברדתך לנגב זכור אותנו, האנדרטה לזכר חללי גדוד 54 של חטיבת גבעתי בחוליקאת, מחקר בהנצחת מלחמת העצמאות", **עיונים בתקומת ישראל** 5, המרכז למורשת בן גוריון, שדה בוקר, והוצאת הספרים של אוניברסיטת בן גוריון בנגב, תשנ"ה.
3. יהודה עמיחי, **גם האגרוף היה פעם יד פתוחה ואצבעות**, שוקן, ירושלים ותל־אביב 1989, עמ' 12.
4. יהודה עמיחי, **מאחורי כל זה מסתתר אושר גדול**, שוקן, ירושלים ותל־אביב 1974, עמ' 89.
5. "קינות על המתים במלחמה", **שם**.
6. יהודה עמיחי, **מאדם אתה ואל אדם תשוב**, שוקן, ירושלים ותל־אביב תשמ"ה–1985, עמ' 45.
7. יהודה עמיחי, **גם האגרוף** (הע' 3 לעיל), שם.
8. יהודה עמיחי, **פתוח סגור פתוח** (הע' 1 לעיל), עמ' 110.
9. יהודה עמיחי, **גם האגרוף** (הע' 3 לעיל), עמ' 9.
10. יהודה עמיחי, **פתוח סגור פתוח** (הע' 1 לעיל), עמ' 173.
11. **שם**, עמ' 177.
12. **שם**, עמ' 112.

מול הקברים || חנן חבר

ב־1941 פירסם נתן אלתרמן את הפואמה הנודעת ורבת־ההשפעה שלו, **שמחת עניים**, ובה העלה על נס ערכים קולקטיביים של מסירות ושל התגייסות לטובת הכלל עד כדי הקרבת חיים, והפך בה את המוות למען הכלל למושא של פולחן המעניק טעם ומשמעות לקיום הלאומי הקולקטיבי. שיר הפתיחה של הפואמה מציג את מערכת היחסים האמביוולנטית בין הדמות הסמלית של "שמחת עניים" לבין הדמות של "העני־כמת", המצפה לבואה ולסיוע שהיא תעניק לו:

דָּפְקָה עַל הַדֶּלֶת שִׂמְחַת עֲנִיִּים.
כִּי חִכָּה לָהּ הָאִישׁ עַד עֵת.
וַתִּשָּׂא כִּנּוֹרֶיהָ שִׂמְחַת עֲנִיִּים,
וַיִּשְׂמַח בָּהּ עָנִי־כְּמֵת.

וַיֹּאמַר מַה טּוֹב וּמַה נָּעִים,
כִּי שָׁמַעְתִּי שִׂמְחַת עֲנִיִּים.

וּבַלַּיְלָה בַּלַּיְלָה שָׁדוּד וְנָזוּף,
חֲלָמָהּ עַל מַצַּע הַקַּשׁ:
חֲלוּמָה כַּנָּקָם וְכוֹאֶבֶת כַּגּוּף
וְצַחָה כִּכְבְשַׂת הָרָשׁ.

וַיֹּאמַר: מַה טּוֹב וּמַה נָּעִים,
כִּי בָּאַתְנִי שִׂמְחַת עֲנִיִּים.

וַתֹּאמַר הַשִּׂמְחָה: לֹא, כִּי בָא מַשְׁחִיתְךָ,
לֹא, כִּי בָא לְךָ יוֹם אַחֲרוֹן.
לֹא פָקַדְתִּי בֵּיתְךָ, לֹא דָרַכְתִּי גִּתְּךָ,
רַק אֵלֵךְ עִם נוֹשְׂאֵי הָאָרוֹן.

וַיֹּאמַר: אֶל צָרִי וּמְעַנִּי,
אֵיךְ תָּשׁוּבִי, שִׂמְחַת הֶעָנִי?

וַתֹּאמַר: בּוֹר אֵרֵד אִתְּךָ, אִישׁ־הָאָרוֹן,
כִּי נוֹשֶׂה אַתָּה בִּי כְּמוֹ חַי.
כִּי פָּנַי לֹא רָאִיתָ עַד יוֹם אַחֲרוֹן
וְגַם צָר אַל יִרְאֵנִי וָחַי.

וַיֹּאמַר: מַה טּוֹב וּמַה נָּעִים,
כִּי אִתִּי אַתְּ שִׂמְחַת עֲנִיִּים.

ה"עני־כמת" שמח על כך ששמחת עניים תבוא להושיעו; אבל בהמשך הדיאלוג שביניהם מתברר לו, שהיא תצטרף אליו אך ורק כאשר הוא יורד בארון אלי קבר. על תמיהתו מדוע היא חוברת אל אויביו, מסבירה לו שמחת עניים את הקוד הבסיסי של ההקרבה למען הלאום: כדי, היא אומרת, שהאויב לא יראה אותי "וחי", כלומר גם האויב ישאב מכוחי המושיע; לכן אני אמורה לחבור אליך רק במסתרים, כאשר אלך עם נושאי הארון וארד איתך אל בור קבר, ושם, בדיוק שם, תתגבר התביעה שלך ממני לעזרה, ושם אתה "נושה בי כמו חי": דווקא עם מותך תתעצם התביעה שלך ממני, האשה המייצגת את הכוח המושיע.

מעשה הנתינה של שמחת עניים הופכת את מעשה המוות למעשה לאומי למען הקולקטיב, שכן חבירתה המושיעה נועדה למנוע את הנאת האויב מנוכחותה. ולכן, דווקא המוות הוא המקור לחיוניות הנפלאה של "חיים על קו הקץ", שהוא הביטוי של אלתרמן לחיים על סף המוות – חיים תוך סכנה מתמדת; מקור היכולת להמשיך ולקיים חיים על סף הקץ תוך תקווה מתמדת, שאלתרמן מעלה על נס בפואמה הזאת.

אבל החיוניות הזאת של המוות היא בעלת מימד מיגדרי: כדי שיתמלא הצו הלאומי של הקרבת החיים למען האומה או למען הקולקטיב, על האשה להקריב את עצמה ולהיות המושיעה הלאומית המשלמת על כך בחייה. כך היא בבחינת חלק נספח אל הדמות הסמלית הגברית; היא מנוכסת על ידה כדי למלא את תפקידה בעיצוב הסמל הלאומי. אבל המנגנון המיגדרי קיים רק מכוח פעולה מלאכותית של ייצור סמלים מסוימים; הסובייקט הלאומי הגברי והסובייקט הלאומי הנשי, והיחסים ביניהם, אינם נובעים מ"מהות טבעית" כלשהי. ולכן, במקביל להשתתפותם המוצלחת של הסמלים המיגדריים בכינון הלאומיות, נחשף תמיד גם עצם קיומם של התפרים

החזקים הנדרשים לקיום המנגנון המיגדרי, ולעולם נגלה גם האופן המלאכותי שבו המנגנון הזה מצדיק את עצמו; הכפפת האשה אל הפרויקט הלאומי נחשפת כמעשה מלאכותי, תובעני – אפילו מכאני – שכרוך בהפעלת כוח על דמות האשה וניכוסה אל הגבר. הדינמיקה הזאת, של שותפות בתהליכי ההבניה הלאומית דרך מיגדוּר של סמלים – לצד אי־היכולת למנוע את היחשפות פעולת הכוח ששותפות זו תובעת, ניכרת במלוא עוצמתה ובצורה חריפה בשני תצלומים של אנדרטאות: האחד של פסלו של נתן רפפורט מ־1953 המוצב בקיבוץ נגבה (עמ' 57), והשני, גם הוא מ־1953, של בתיה לישנסקי, המוצב בכפר יהושע (עמ' 71, תצלום 2).

שני התצלומים האלה משתתפים – למרות הניסיון שלהם, כתצלומים, למתן את המימד ההירואי של הפסלים – בבניית האפקט שנוצר על־ידי הפסלים המצולמים, דרך חבירתם למבנה האסתטי של הפסלים והפיכתו להנחה הבסיסית של הטלאולוגיה של התצלום. "התצלום הוא טכנולוגיה טלאולוֹגית," כתב פטר אוסבורן, והפנה בכך את תשומת־הלב לתכלית הפוליטית והתרבותית החבויה בכל אקט של צילום. ואכן, החבירה לאפקט של הפסל גם חושפת את המאמץ של הייצור המיגדרי בכל אחד מהפסלים. הטלאולוגיה של התצלומים האלה, אם להמשיך בכיוון המחשבה של אוסבורן, היא של החצנת האפקט שהפסל נועד לייצר תוך חשיפת פעולת ייצור המיגדר.

פסלו של רפפורט הוא בראש ובראשונה **סמל**, המייצג בעזרת שלוש דמויות את פרשת העמידה של נגבה בקרבות 48'. הוא ממיין את העומדים לשלושה סוגים המשלימים זה את זה: הלוחם, החקלאי והאשה. כסמל, הדמות הפרטית הופכת למסמנת של מכלול גדול יותר, שהוא סימבולי ללאום; הפסל של רפפורט משיג את האפקט הזה דרך הטקסטורה של הפסל, שהיא חלקה ומשויפת; והעיצוב הממורק, החד למשעי, הופך את הקונטורים של הדמויות הפרטיות ל"נכונים" ומדויקים, ולכן מייצגים שלמות סמלית ולא ייחודיות פרטית. זהו אם כך הדימוי הלאומי הנמרץ שמציג הפסל לנוכח השבים מלוויה בבית־הקברות, שעליו הוא משקיף.

פסלה של בתיה לישנסקי מציית לקוד אסתטי הפוך: לישנסקי, פסלת־אשה, מפרקת את הקודים הסמליים החביבים כל־כך על השיח הלאומי ההגמוני ומציגה במקומם ארבע דמויות מסותתות ביד גסה – בעיקר גסים הקונטורים של גופן, רחוקים מרחק רב מן החוסן והגיזרה המדויקת של הגופים בפסל של רפפורט. לעומת החיתוך של הגופים אצל רפפורט, המותיר חללים ביניהם, אצל לישנסקי הדמויות חצובות בגוש אחד הנותר בכל כובדו ומגושמותו. לעומת המראה הארי של הדמויות אצל רפפורט, אצל לישנסקי חלק מן הדמויות גם כפופות, לא מעוצבות עד תום, ובכך פורעות את הסדר הסמלי המהודק בנוסח רפפורט ומציגות את מה שוולטר בנימין היה מכנה בשם **אלגוריה**, שבאמצעות הייצוג המכאני שלה היא מייצגת דווקא עולם של חורבן והרס, ואינה מצייתת לסיפור התיקון של גאולה, שהוא, במקרה הזה, הסיפור הלאומי הקולקטיבי.

כך, למשל, אפשר לראות את השוני בעיצוב המבט של הדמויות בשני הפסלים. אצל רפפורט עצם המבט היא פעולה סמלית, המארגנת את שדה הראייה של הדמויות באופן פונקציונלי, שבו כל אחת מהן אחראית על גיזרה אחת במרחב הסמלי הנתון למבטן, בין אם זה האויב שאת בואו מקדמים הלוחמים, ובין אם זה בית־הקברות של הקיבוץ, המייצג את ערך ההקרבה העצמית למען הכלל. מבטן של כל הדמויות אצל לישנסקי מרוכז בנקודה אחת. אם אצל רפפורט הן מייצגות עמידה בוטחת, סמל לגבורה – אצל לישנסקי האלגוריה כוללת אלמנט חריף של חרדה, של התגייסות לנוכח סכנה שאי אפשר לגבור עליה מראש באמצעות המבט. חלק מהדמויות כפופות, מתאמצות לארגן את הגוף לנוכח הסכנה המאיימת.

שני התצלומים של הפסלים חוברים, אם כי לא באורח מלא, למנגנון הייצוג של כל פסל: זה של רפפורט מצולם מלמטה במבט כלפי מעלה, מבט המבליט את הדמויות על רקע מרחב השמים. תצלום הפסל של לישנסקי נעשה מרחוק, וממקם את הפסל כחלק מתפאורת הצמחייה שעוטפת אותו, הן מלמטה והן מהצדדים. השמים הם רק חלק מאוד קטן, ברקע הפסל, שמיוצג כאלמנט קטן בתוך מכלול גדול של צמחייה ועפר. הפיסול הנשי נעוץ בצמחייה והוא חלק מן הטבע הסובב אותו; בכך הוא משכפל את ההנחה התרבותית כי האשה היא טבע, שכן הפְּרֵיים (מסגרת התצלום) ממקם את הדמויות הנשיות כחלק בלתי־נפרד מהטבע הסובב אותן. לעומת זאת, החיתוך שממסגר את תצלום הפסל של רפפורט מבחין ומפריד בחדות בין הצומח לבין הפסל לשני צדדים שונים שיש ביניהם רווח, ומדגיש את המוסכמה התרבותית המשלימה, שלפיה הגברים מסמנים את התרבות, כשהאשה מנוכסת גם היא – דרך תפקידה כסמל בשירות הערך הלאומי שממשו הוא הגבר – אל תוך העולם התרבותי הגברי. בניגוד למיקום ה"טבעי" של האשה אצל לישנסקי, שם האשה היא חלק מהטבע, הרי

שרפפורט מנכס את האשה אל הייצוג הגברי של הפסל, שמדגיש את המובחנות של התרבות מהטבע תוך ניכוס האשה לתוך התרבות.
התצלומים מתבוננים באנדרטאות בכך שהם מאורגנים באופן המבליט את הטלאולוגיה של הפסלים: זה של רפפורט, החובר לסיפור ההגמוני הלאומי, וזה של לישנסקי, החותר תחתיו ומונע את אירגון הדמויות שבו אל תוך המטא־נאראטיב של הגאולה הכוחנית. בכך התצלומים גם שותפים להחצנת המאמץ המיגדרי של הפסלים – אצל לישנסקי, מיגדור שמוליד את העמדה החתרנית; ואילו אצל רפפורט – המאמץ הניכר לעין לארגן את האשה כסמל לאומי אל תוך הייצוג הקונקרטי של המאמץ המעשי הלאומי. הגברים הפועלים (הלוחם והחקלאי) הופכים לסמל הודות לנוכחות הנשית שהיא, בסיפור הלאומיות המודרנית, נוכחות של סמל; והאשה, שמנוכסת אל התרבות דרך כניסתה אל הפסל המלאכותי, מנטרלת את הנוכריוּת הגברית מן הטבע המקומי, שכן למרות הנתק ממנו (הפסל מורחק בשלוש מדרגות אבן מהקרקע שלרגליו), הרי שהיא ה"טבע" עצמו. בשני הפסלים, ובשני התצלומים המדגישים את התכונות המארגנות של הפסלים, מתפקדים הסטריאוטיפים הגבריים והנשיים כפשוטם, כשאצל רפפורט הם מנוצלים כדי לייצר נאראטיב לאומי אינטגרלי למקום, אחדותי, הומוגני, וכביכול נטול שברים ומובחנויות (מיגדריות, למשל), ואילו אצל לישנסקי הם מנוצלים כדי להצביע דווקא על נקודת השבר בסיפור הלאומי – החרדה שברקע העוצמה, הבוטות הוויזואלית שברקע הבהירות החלקה של המעשה הציוני, וההיזקקות לסטריאוטיפ המיגדרי הנשי כדי לקיים את הסיפור הגברי כסיפור אינטגרלי והומוגני.

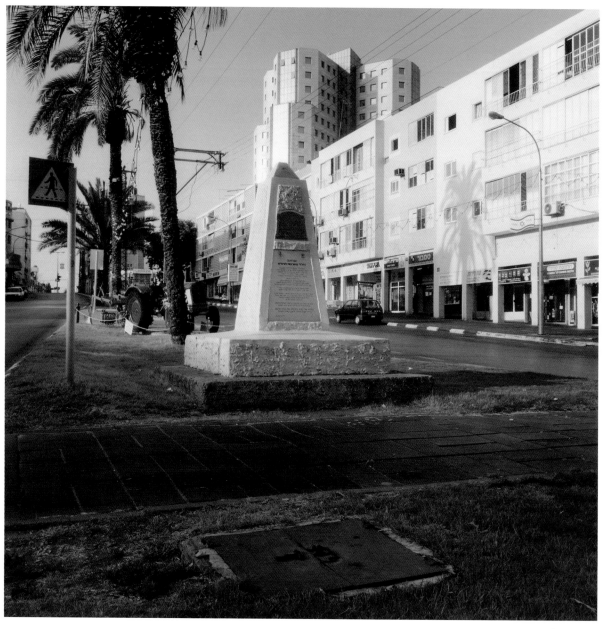

פתח תקוה | PETAH TIQVA

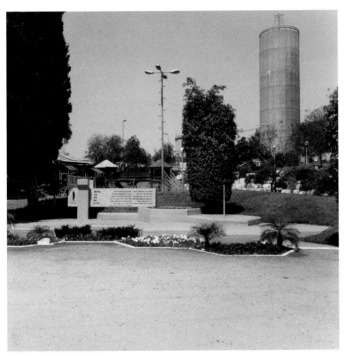

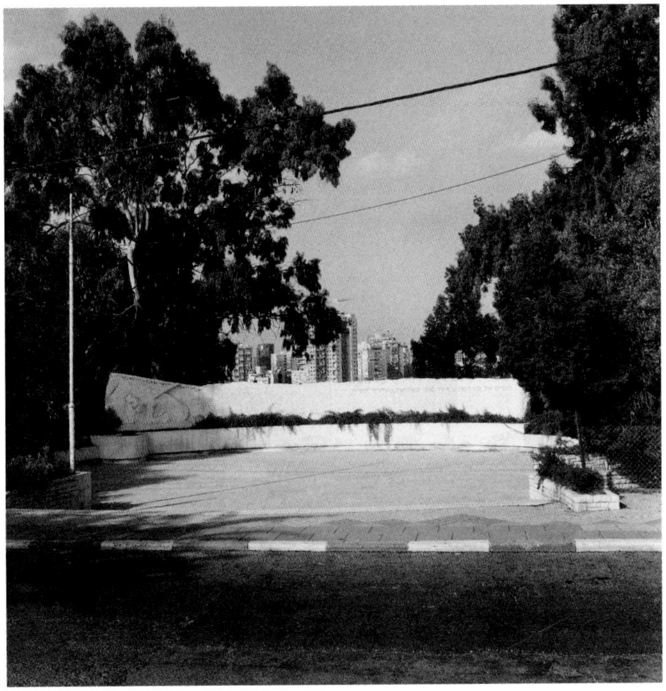

2. באר יעקב | BE'ER YA'AQOV

1. רמת גן | RAMAT GAN

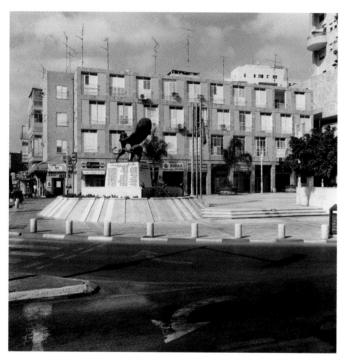

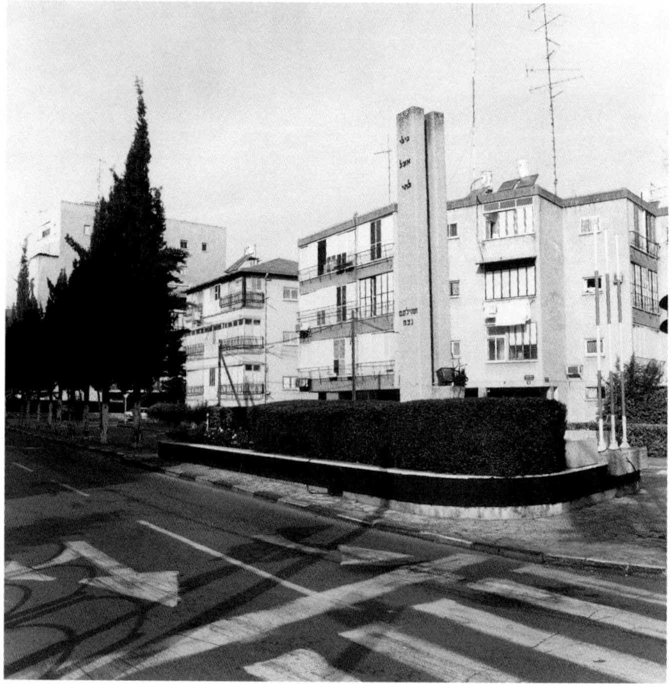

2. רמת גן | RAMAT GAN

1. ראשון לציון | RISHON LEZIYYON

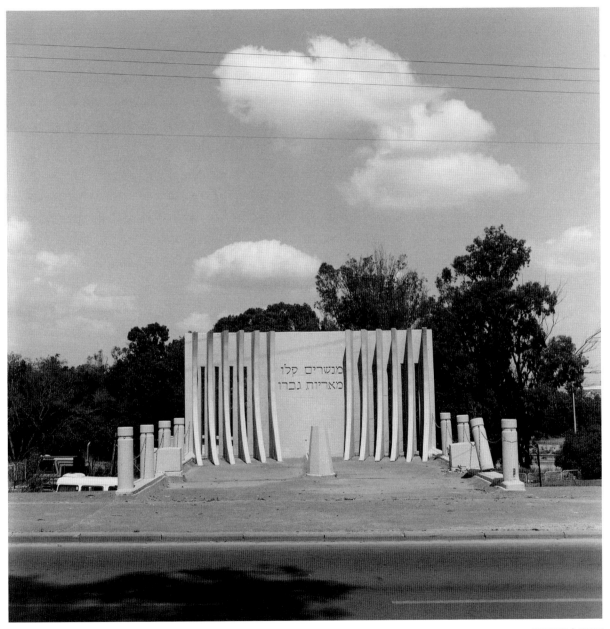

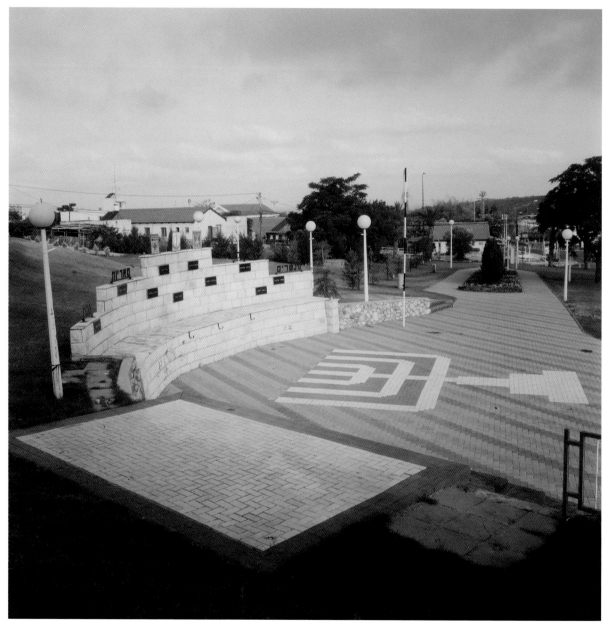

SHELOMI | שלומי

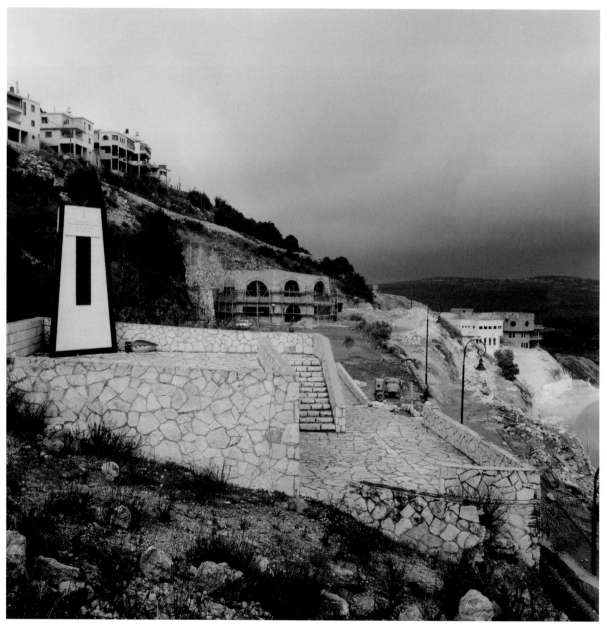

HURFEISH | חורפיש

35

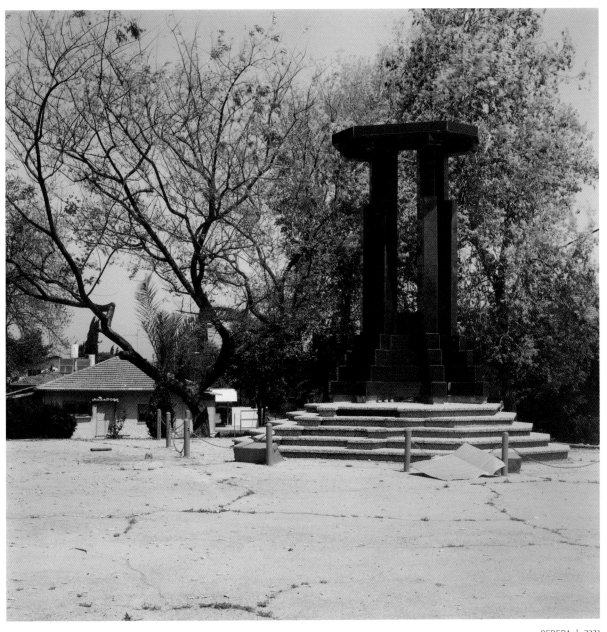

GEDERA | גדרה

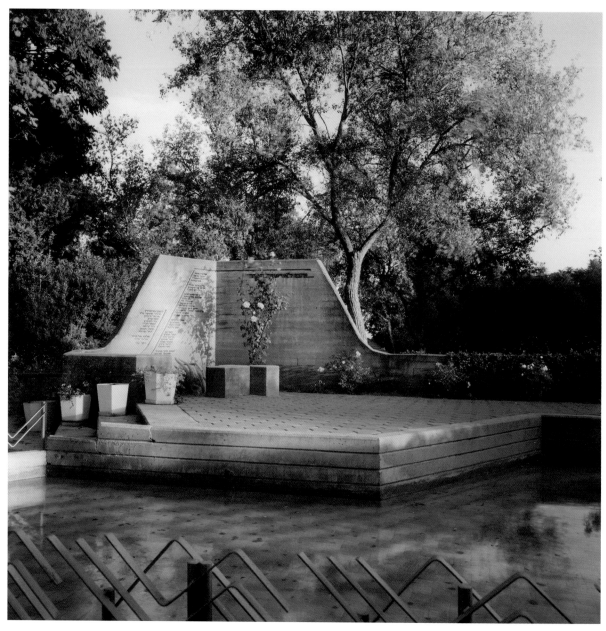

GIV'AT BRENNER | גבעת ברנר

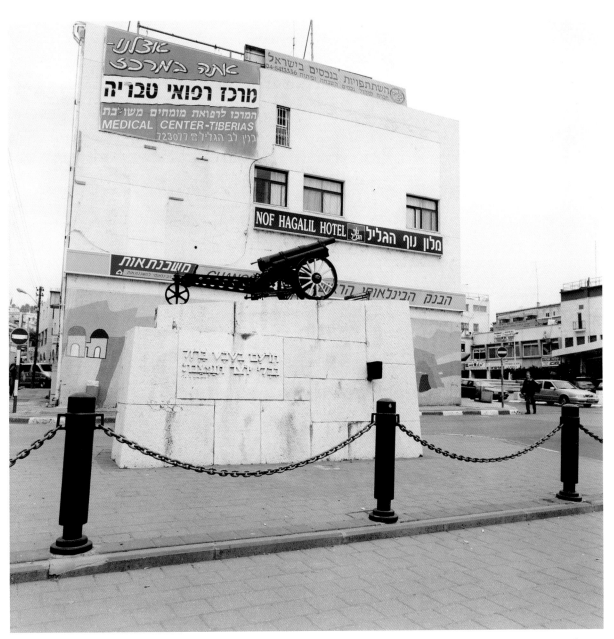

TIBERIAS | טבריה

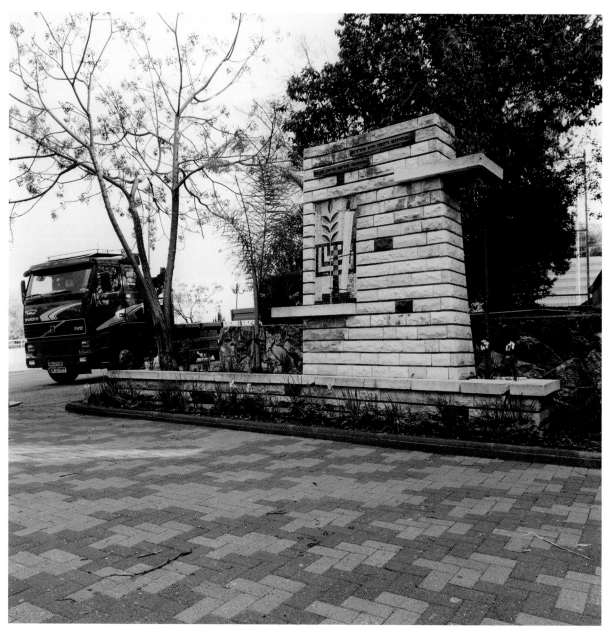

יקנעם עילית | YOQNE'AM 'ILIT

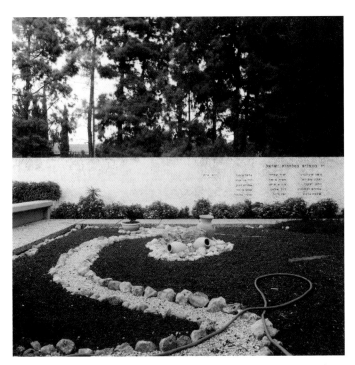

1. רחובות | REHOVOT

2. תל עדשים | TEL 'ADASHIM

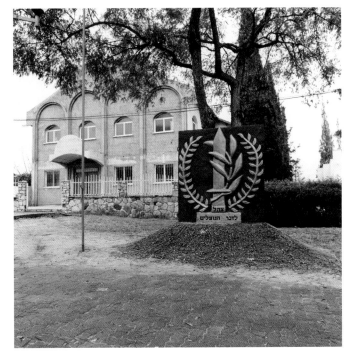

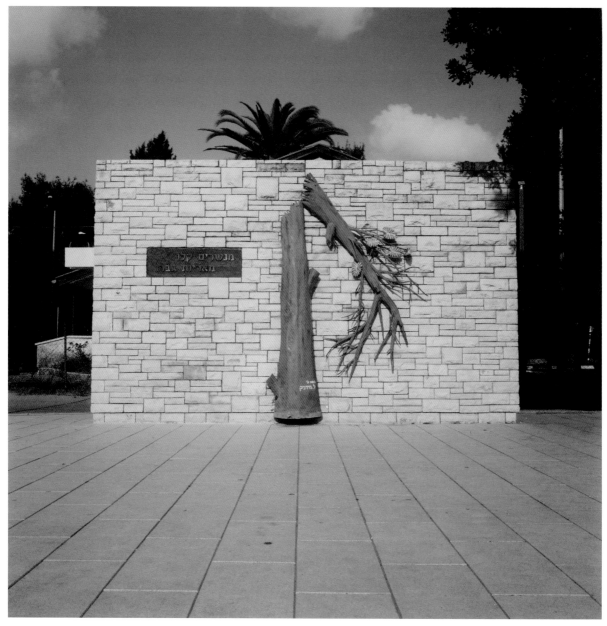

BINYAMINA | בנימינה

41

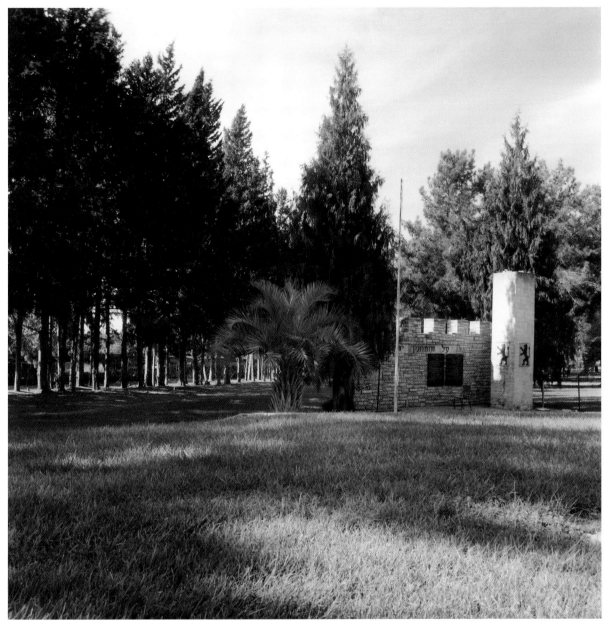

צור משה | ZUR MOSHE

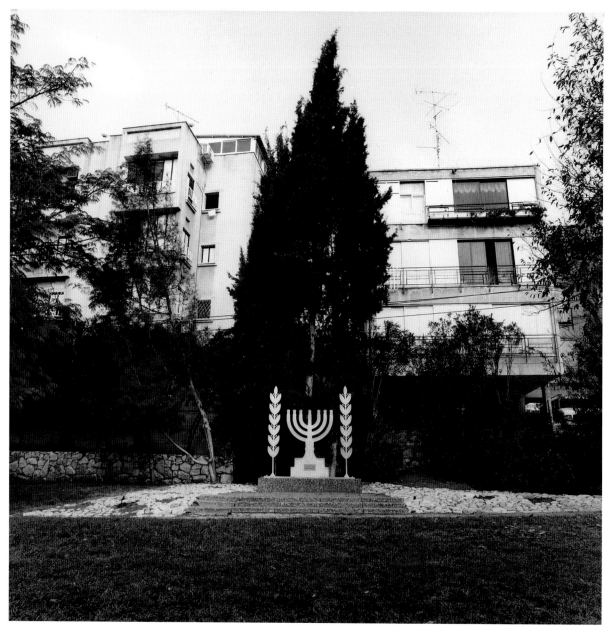

GIV'ATAYIM | גבעתיים

43

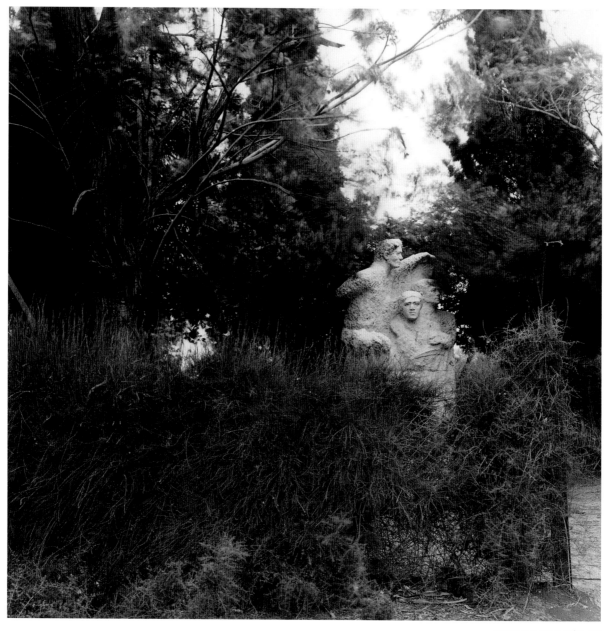

HULDA FOREST | יער חולדה

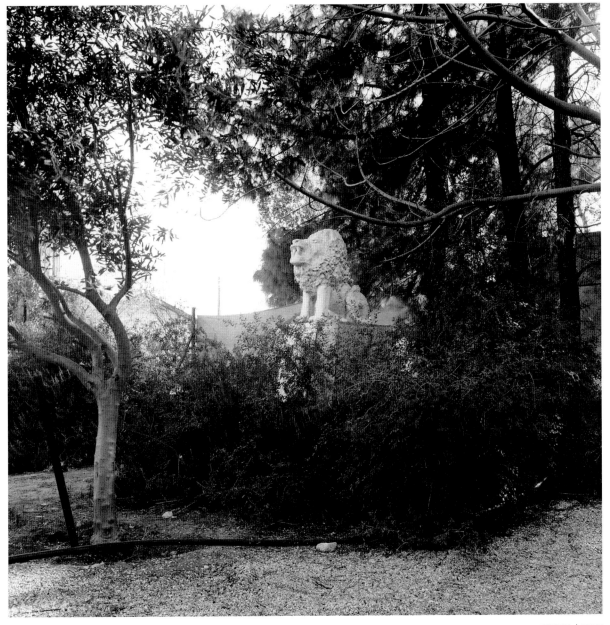

QIDRON | קדרון

1. קרית ענבים | QIRYAT 'ANAVIM

2. עינת | 'ENAT

3. תל יצחק | TEL YIZHAQ

4. גאולים | GE'ULIM

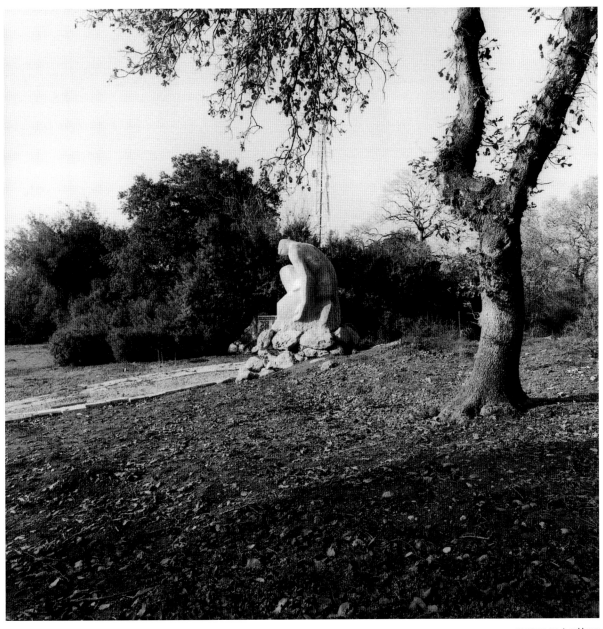

HASOLELIM | הסוללים

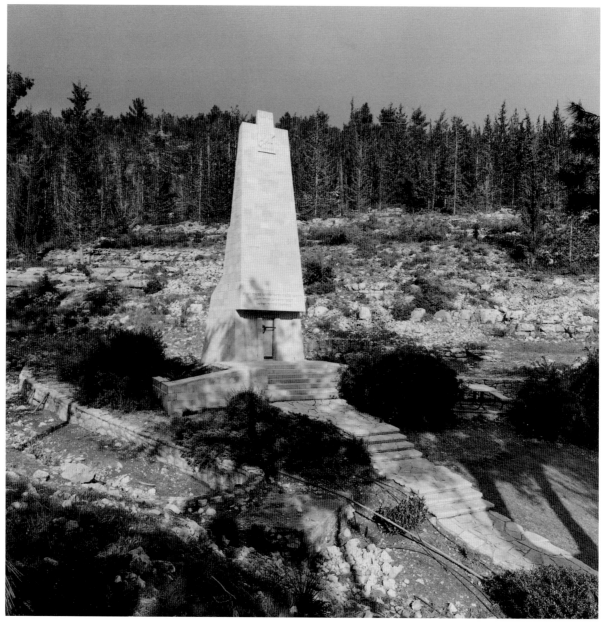

QIRYAT 'ANAVIM | קרית ענבים

49

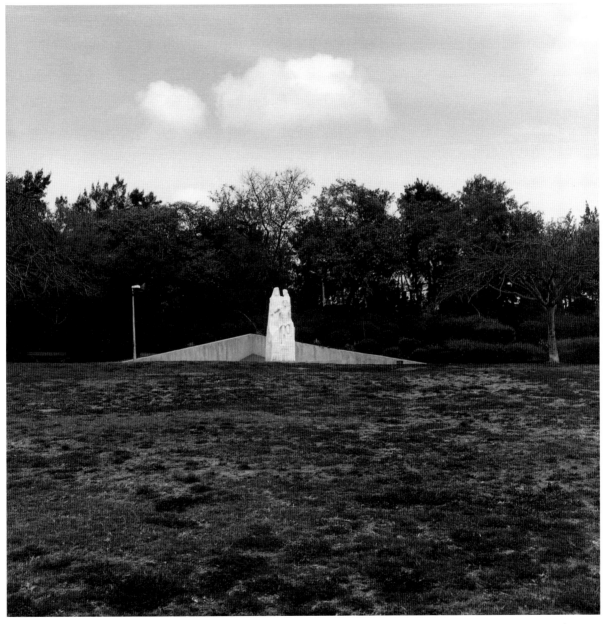

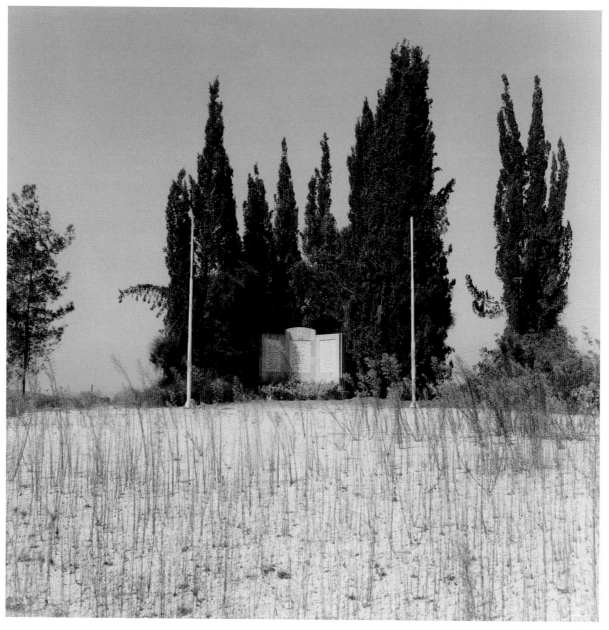

ZOVA | צובה

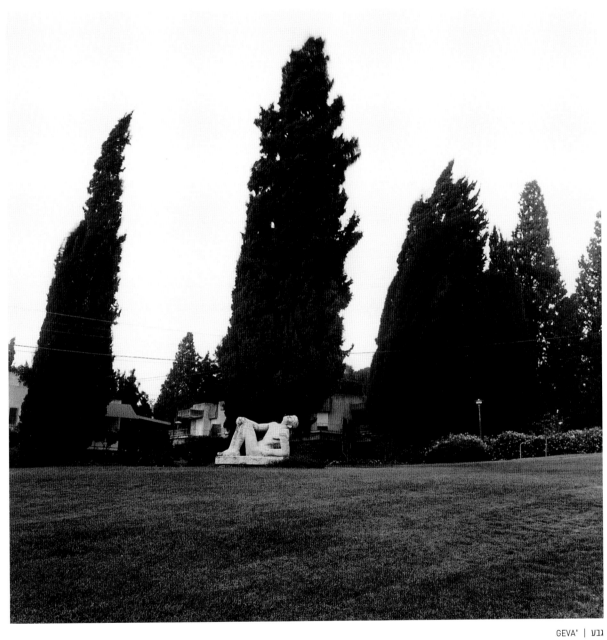

GEVA' | גבע

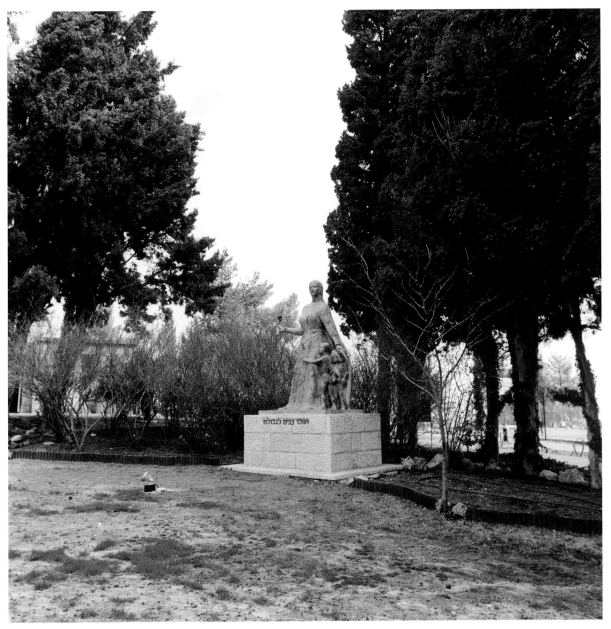

RAMAT RAHEL | רמת רחל

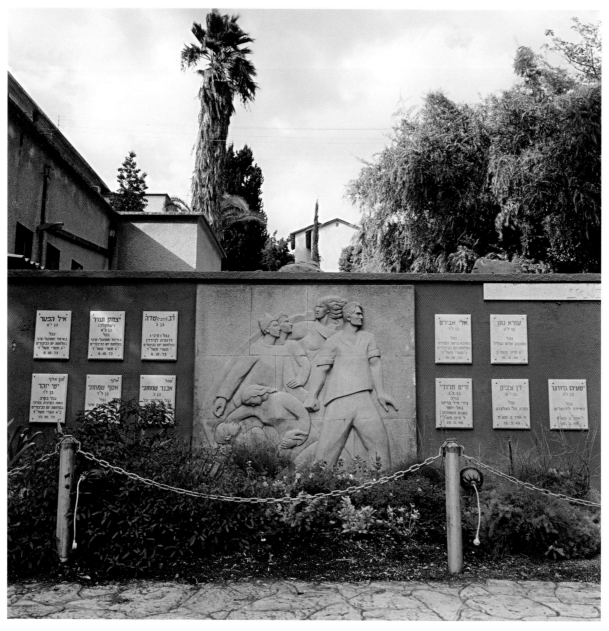

TEL YOSEF | תל יוסף

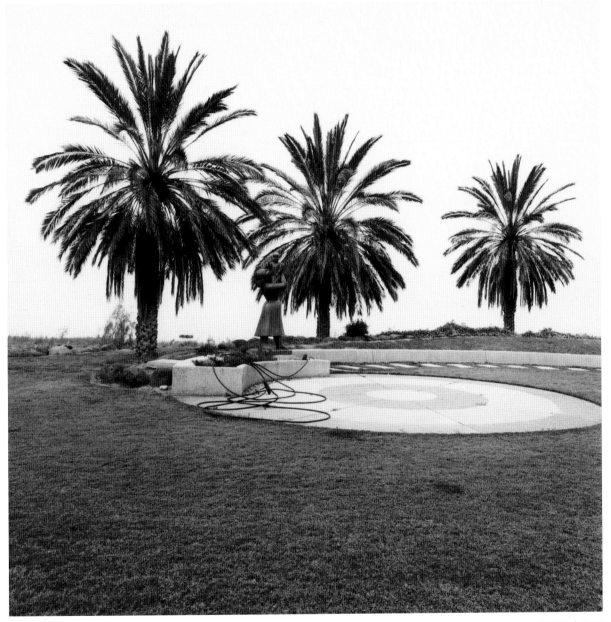

'EN GEV | עין גב

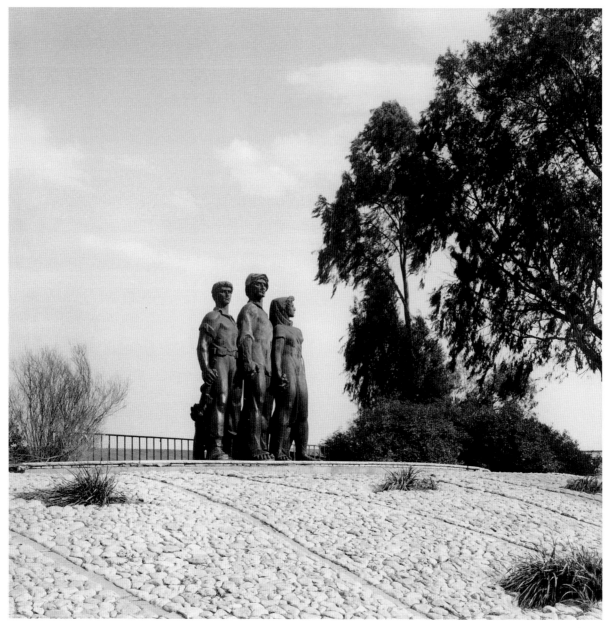

NEGBA | נגבה

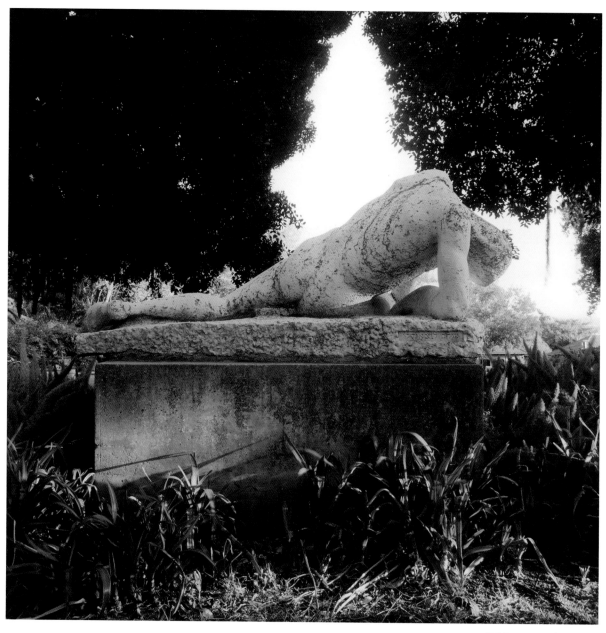

GIV'AT BRENNER | גבעת ברנר

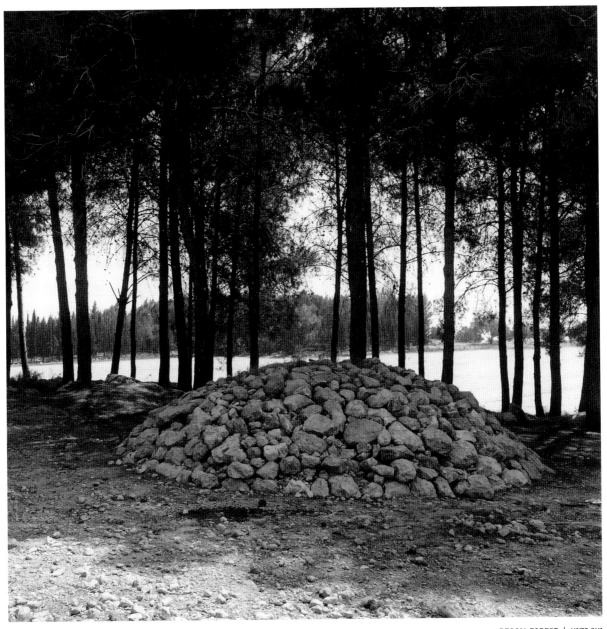

BEQO'A FOREST | יער בקוע

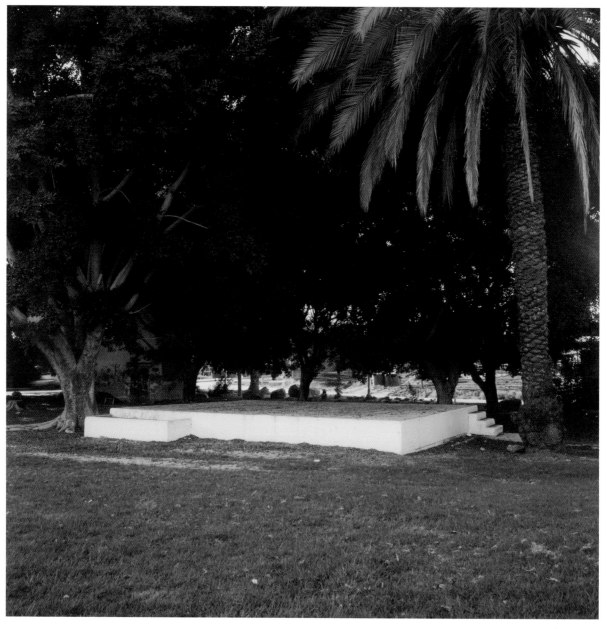

BE'ER TOVIYYA | באר טוביה

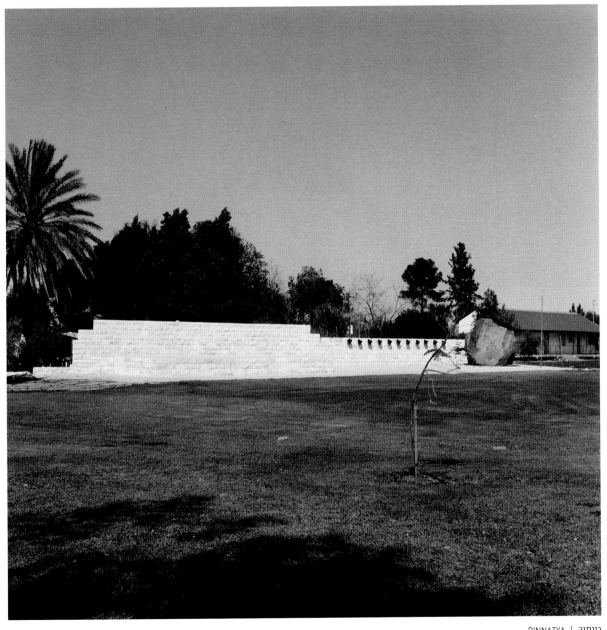

RINNATYA | רינתיה

1. חרות | HERUT

2. בית שאן | BET SHE'AN

3. מצפור דוד אייזן | MIZPOR DAVID EISEN

4. עיינות | 'AYANOT

5. יד מרדכי | YAD MORDEKHAI

6. רמלה | RAMLA

7. אזור | AZOR

8. ביתן אהרון | BITAN AHARON

9. מרחביה (קיבוץ) | MERHAVYA (QIBBUZ)

1. נשר | NESHER

2. חוליקאת (חלץ) | HULEIQAT (HELEZ)

3. מטולה | METULLA

4. תל אביב | TEL AVIV

5. רמות השבים | RAMOT HASHAVIM

6. רחובות | REHOVOT

7. הוד השרון | HOD HASHARON

8. אבן יהודה | EVEN YEHUDA

9. צומת חולדה | HULDA JUNCTION

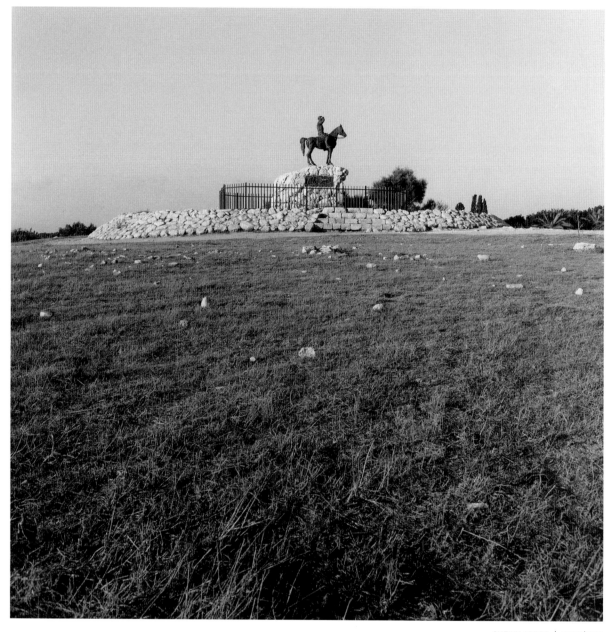

SHEIKH ABREQ | שייח' אברק

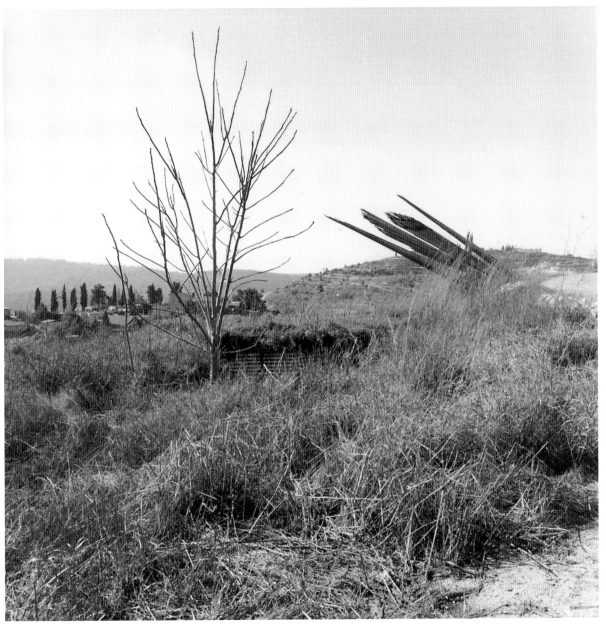

SHA'AR HAGAY | שער הגיא

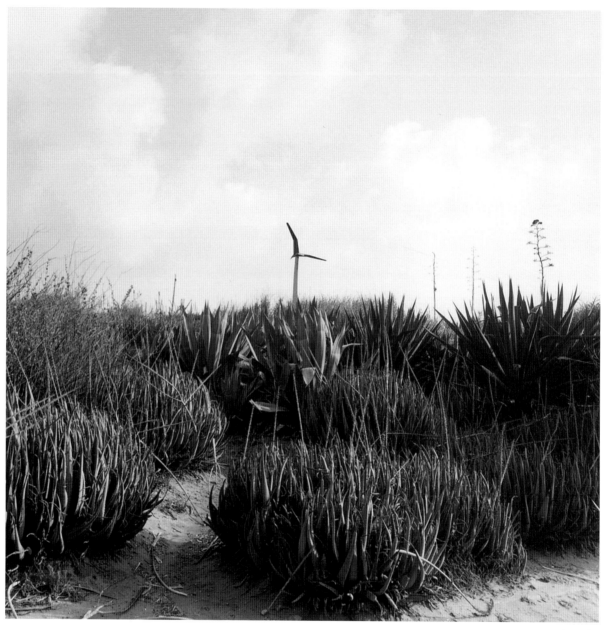

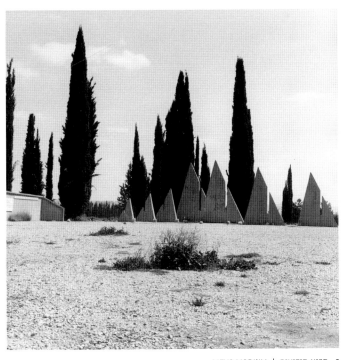

1. ראש העין | ROSH HA'AYIN

2. מבוא מודיעים | MEVO MODI'IM

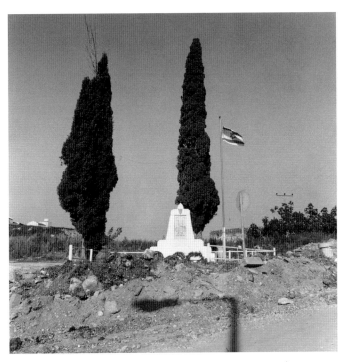

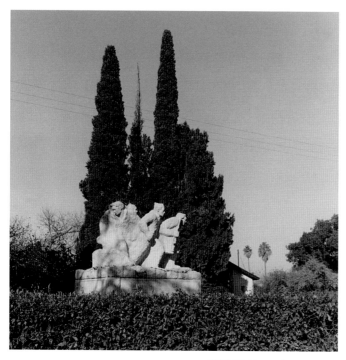

2. כפר יהושע | KEFAR YEHOSHUA'

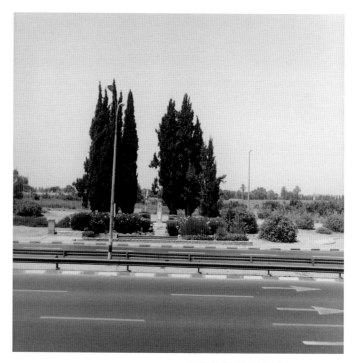

1. צומת בית דגן | BET DAGAN JUNCTION

לזיכרו שלמה בן-יקר
חייל באוגדן הצבא הלאומי
הראשון להרוג במלחמת-תות השלטון הבריטי
בגוד הפרד והתקומה

גל-עד

ROSH PINA - SAFED ROAD | כביש ראש פינה – צפת

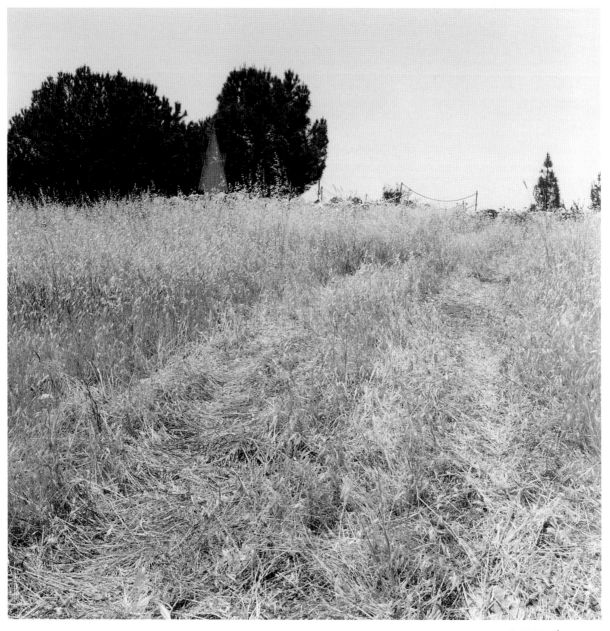

מבוא ביתר | MEVO BETAR

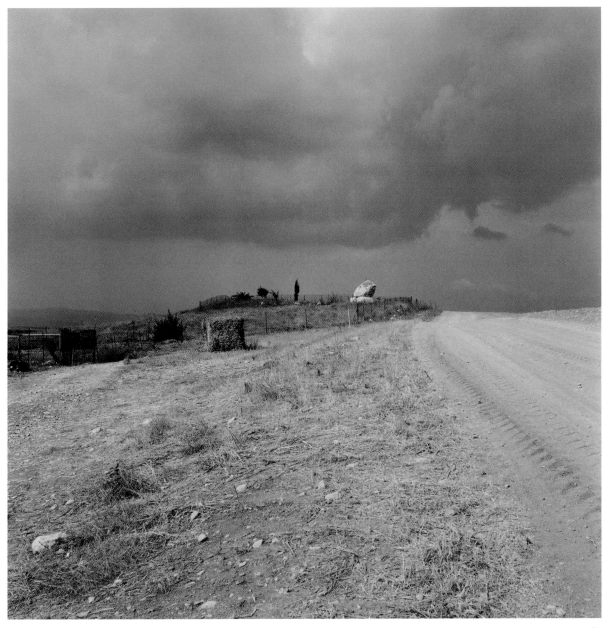

BALFOURIYYA | בלפוריה

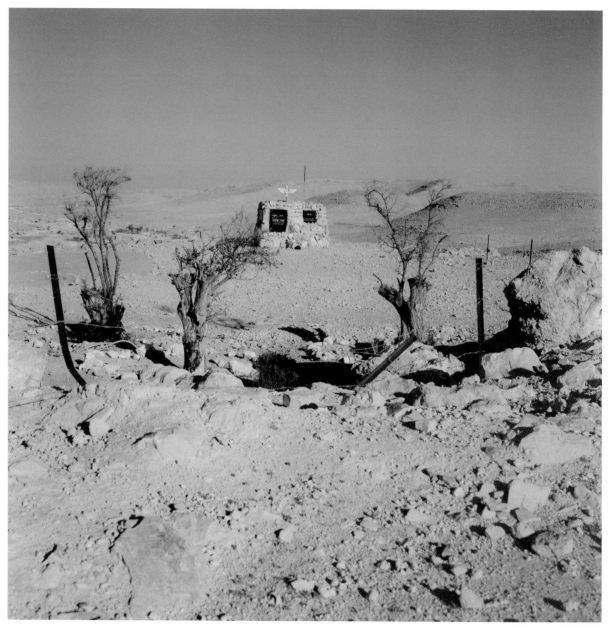

RAMAT NAFHA | רמת נפחה

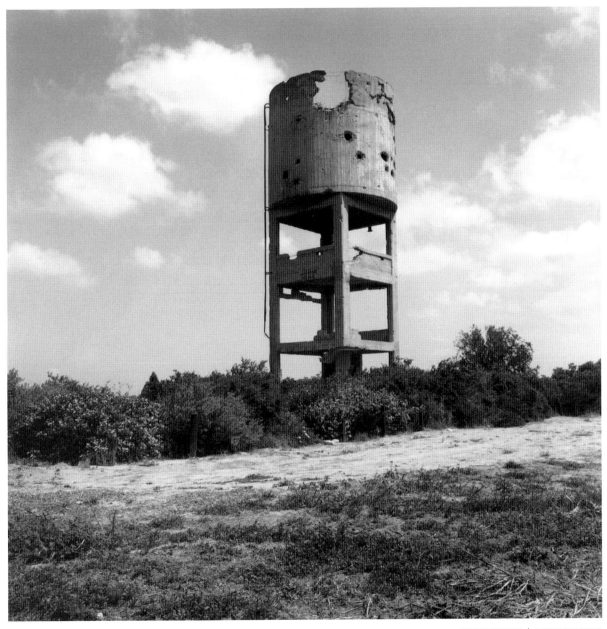

BE'EROT YIZHAK | בארות יצחק הישנה

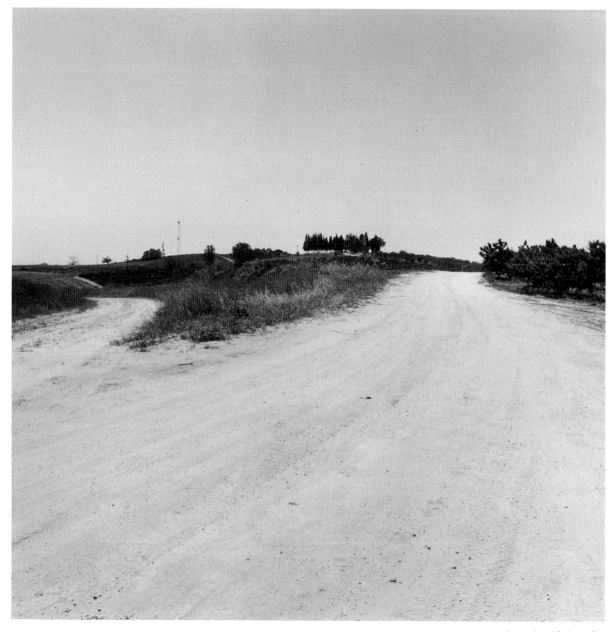

HULEIQAT (HELEZ) | חוליקאת (חלץ)

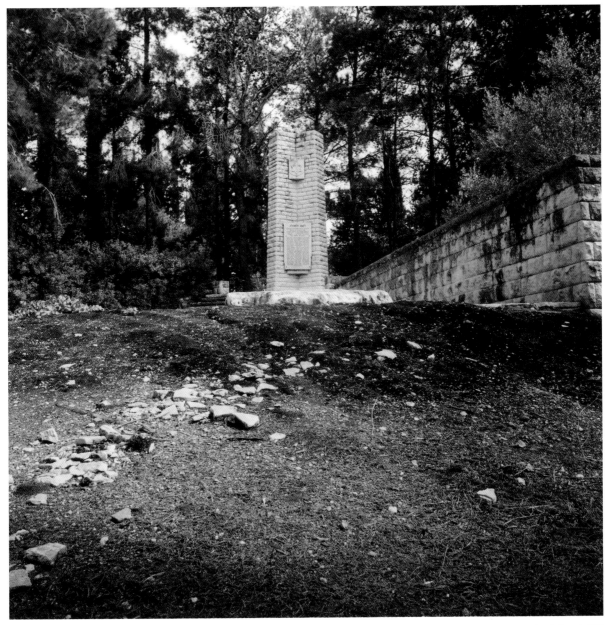

KABRI JUNCTION | צומת כברי

1. יער ההתנדבות | HAHITNADVUT FOREST

2. הר הטייסים | HAR HATAYYASIM

3. עיספיא | 'ISFIYA

4. עתלית | 'ATLIT

5. בית זרע | BET ZERA'

6. משמר הירדן | MISHMAR HAYARDEN

7. מרחביה (מושב) | MERHAVYA (MOSHAV)

8. יגור | YAGUR

9. כביש 4 | ROAD 4

1. תל נוף | TEL NOF

2. נתניה | NETANYA

3. קרית גת | QIRYAT GAT

4. אילת | EILAT

5. מזור | MAZOR

6. קרית טבעון | QIRYAT TIV'ON

7. ניר צבי | NIR ZEVI

8. ירושלים | JERUSALEM

9. חולון | HOLON

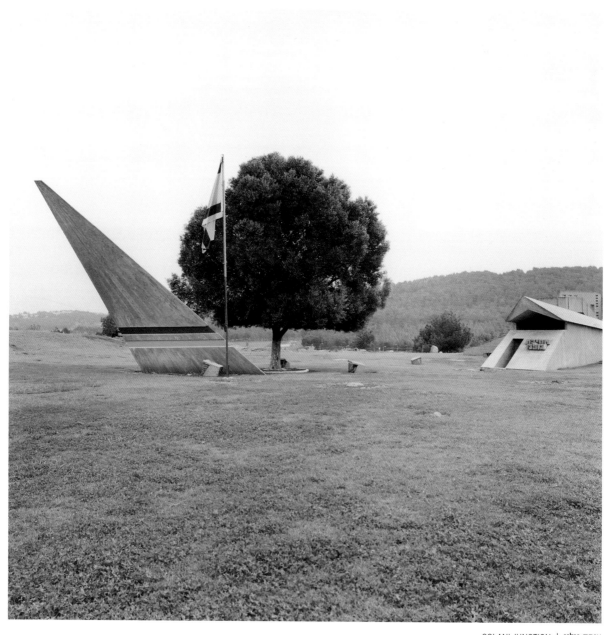

GOLANI JUNCTION | צומת גולני

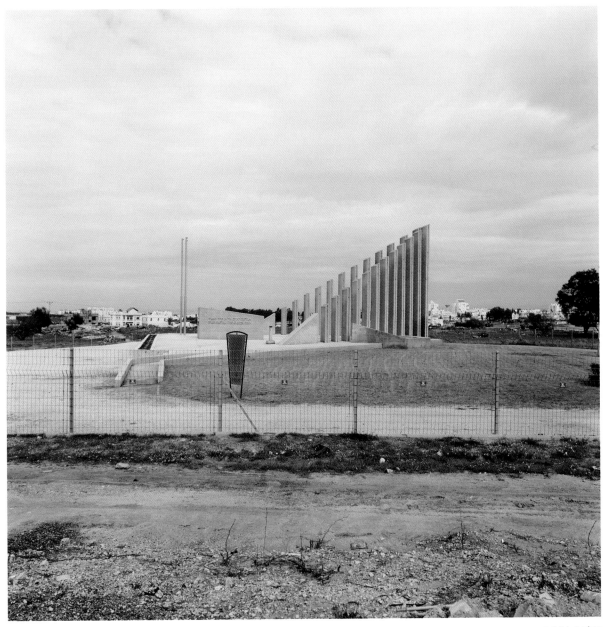

RAMLA | רמלה

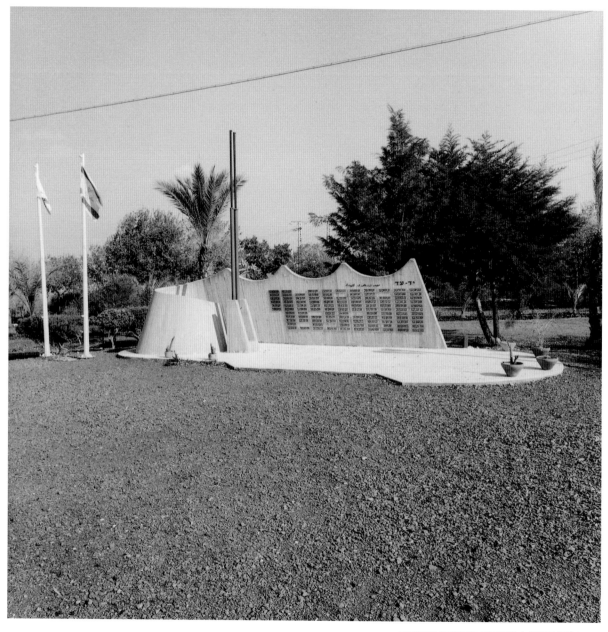

צומת הלוחם הבדואי | HALOHEM HABEDU'I JUNCTION

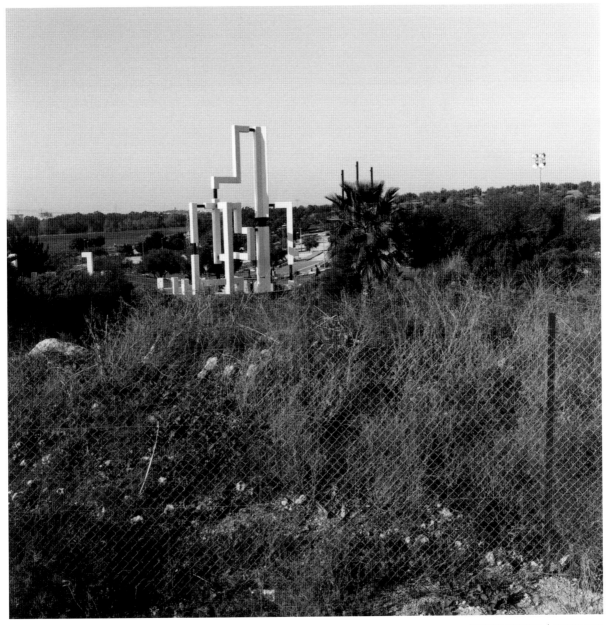

MODI'IM JUNCTION | צומת מודיעים

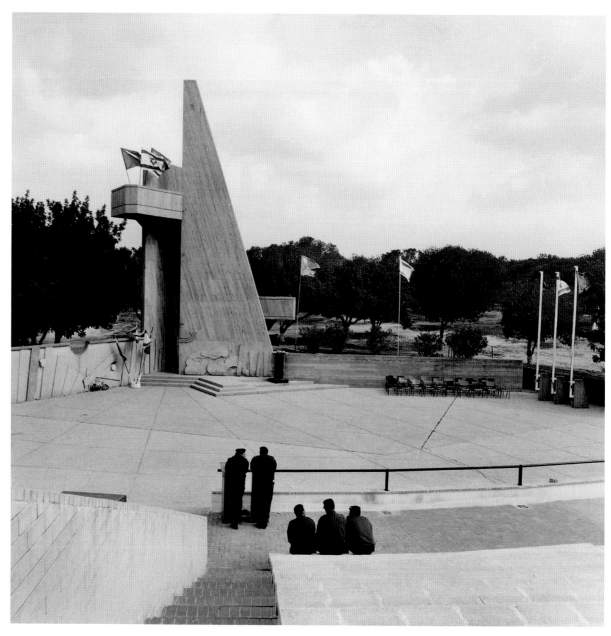

צומת עירון | IRON JUNCTION'

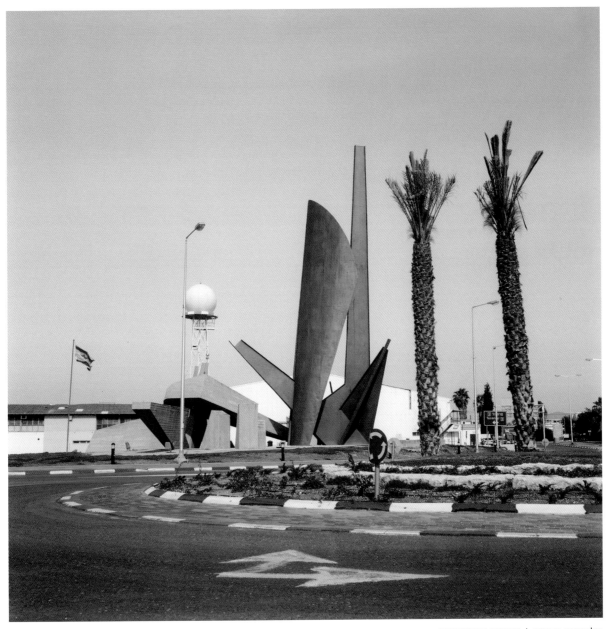

BEN GURION AIRPORT | נמל תעופה בן גוריון

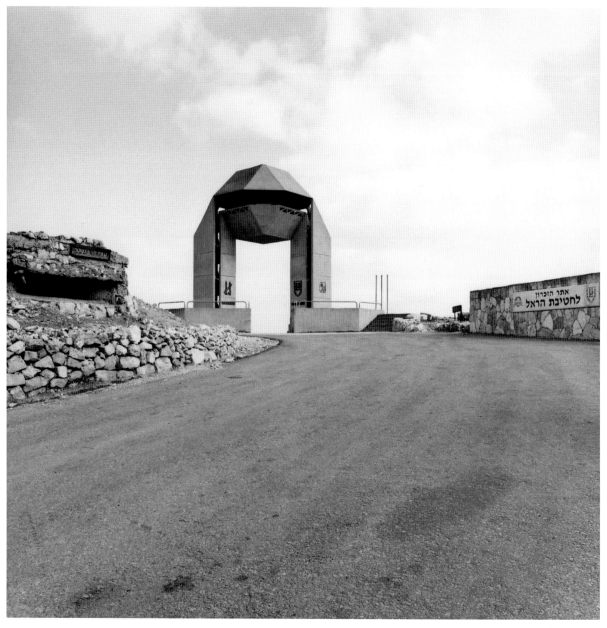

GIV'AT HARADAR | גבעת הרדאר

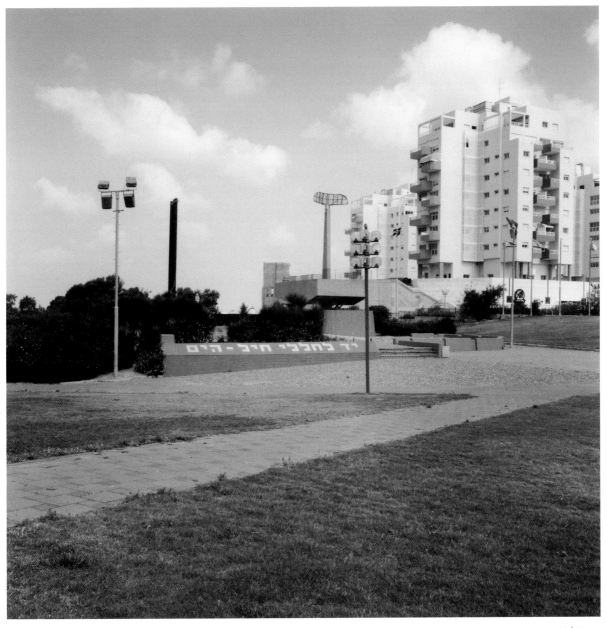

ASHDOD | אשדוד

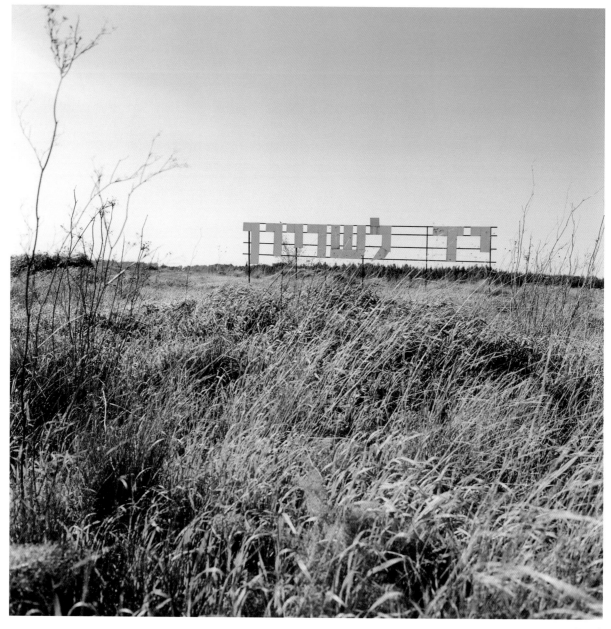

LATRUN | לטרון

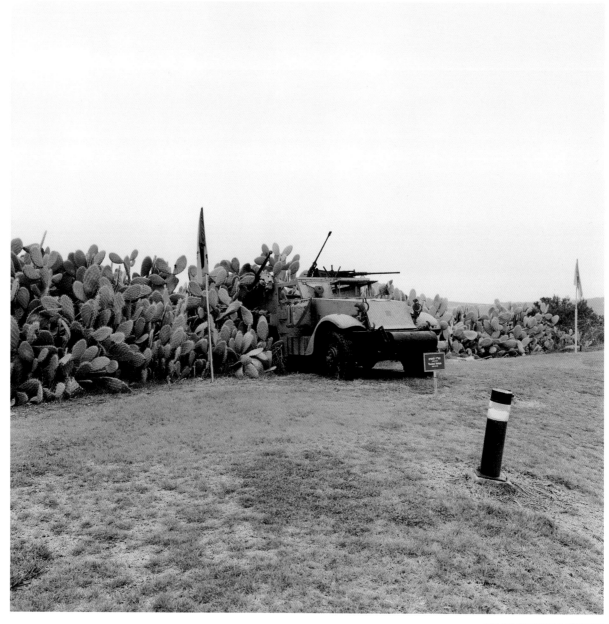

צומת גולני | GOLANI JUNCTION

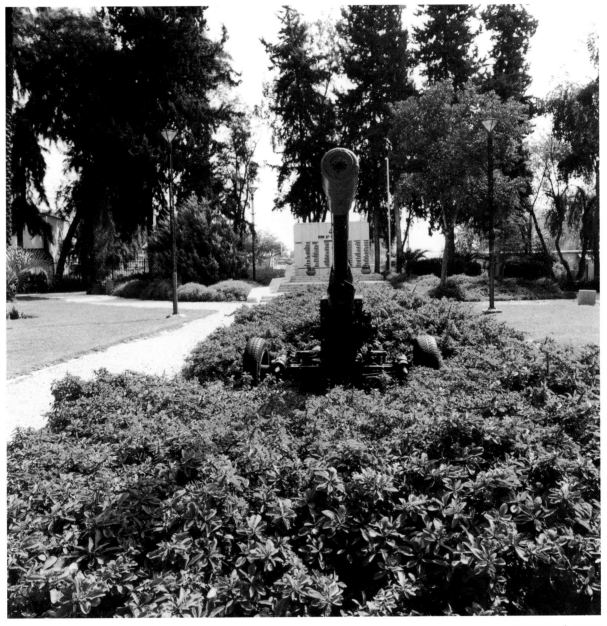

NES ZIYYONA | נס ציונה

94

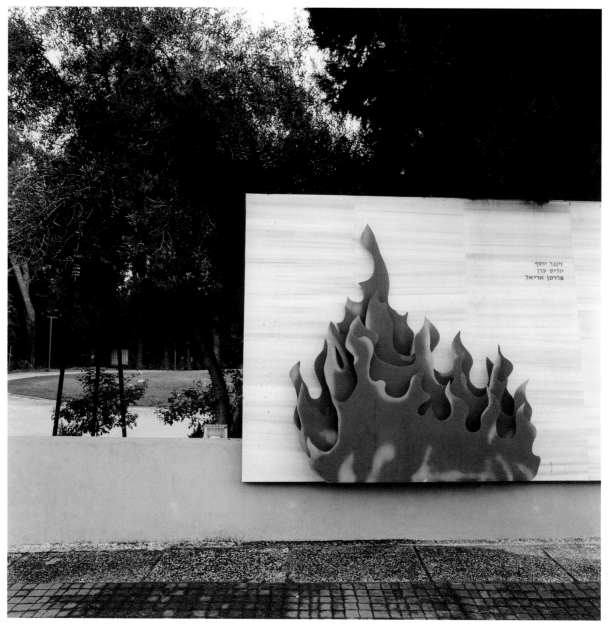

דינגר יוסף
יוליט ערן
פלדמן אריאל

RAMAT HASHARON | רמת השרון

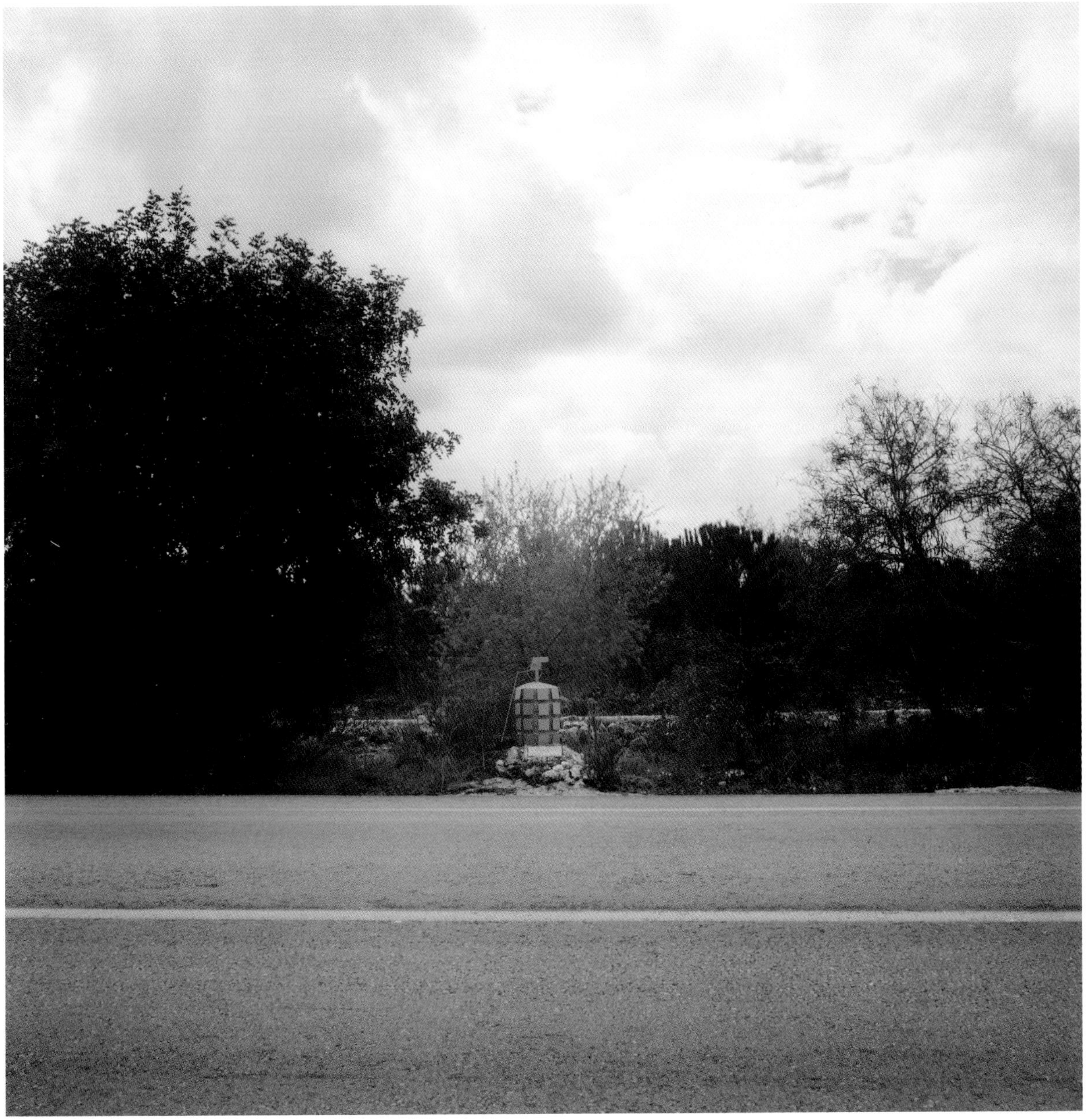

HAZAFON ROAD | כביש הצפון

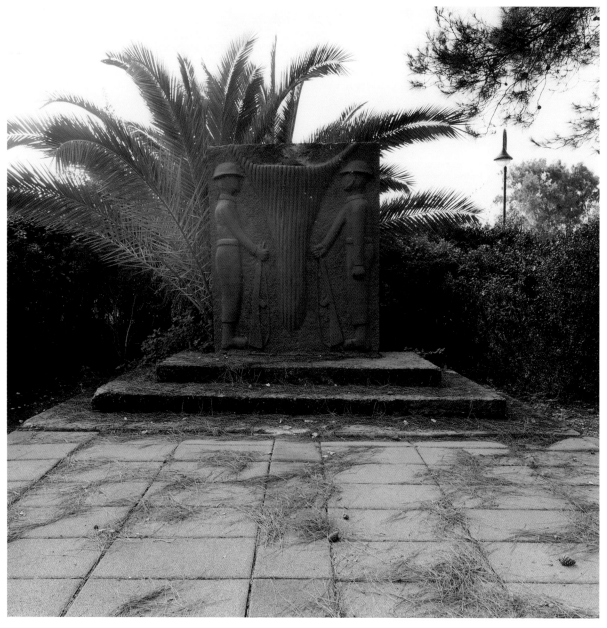

QIDRON | קדרון

97

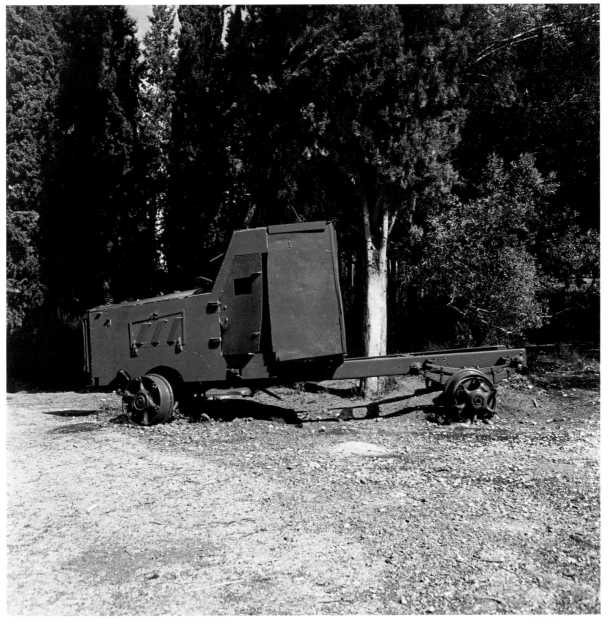

KABRI JUNCTION | צומת כברי

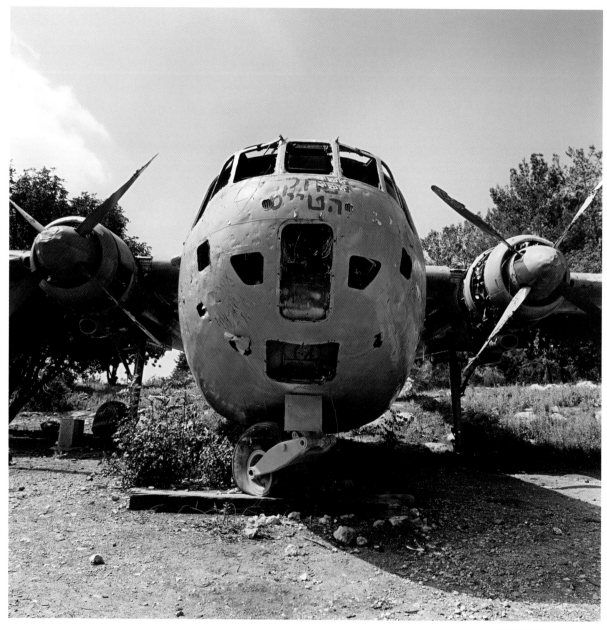

BEQO'A FOREST | יער בקוע

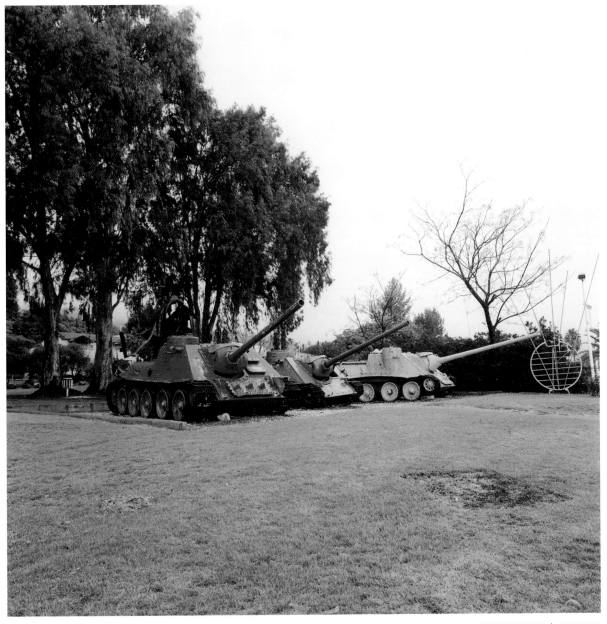

QIRYAT SHEMONA | קרית שמונה

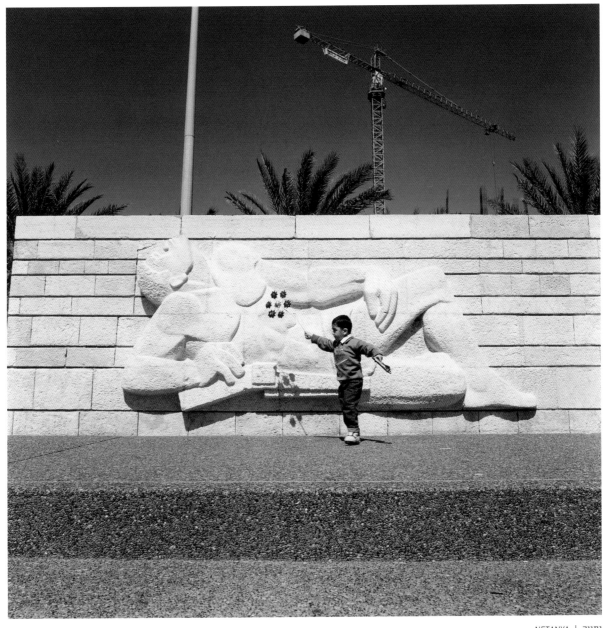

NETANYA | נתניה

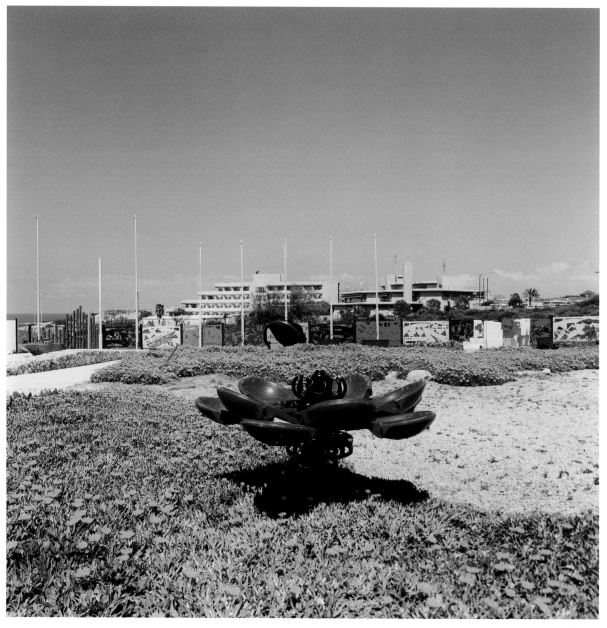

NETANYA | נתניה

המפתח מסודר לפי א"ב של שמות מקומות, כפי שהם מופיעים בכיתובים מתחת לתצלומים. לצד
כל שם ניתן העמוד שבו הוא מופיע בספר.
המידע על האנדרטאות לקוח מהטקסטים על גבי האנדרטאות ומחומר שנאסף על־ידי האמניות, וכן
מהספרים הבאים: אילנה שמיר, **גלעד - אנדרטות לנופלים במערכות ישראל**, משרד הביטחון
1989; אסתר לוינגר, **אנדרטות לנופלים בישראל**, הקיבוץ המאוחד 1989; אילנה שמיר, **הנצחה
וזיכרון**, עם עובד 1996. **אנציקלופדיה מפה: כל היישובים וכל האתרים בישראל**, מפה 2000.
שמות המקומות בספר ובמפתח, בעברית ובלועזית, מובאים על־פי־רוב כנתינתם הרשמית על־ידי
ועדת השמות הממשלתית.
מידע גיאוגרפי לקוח מתוך **אנציקלופדיה מפה** והאטלסים של חברת 'מפה'.

גבעת ברנר | 59

אנדרטת 'הנופל', מול בית התרבות. לזכר חברי הקיבוץ חללי מלחמות ומבצעים שונים, בארץ ובאירופה. יצירתו של הפסל יעקב לוצ'נסקי משיש פקיעין על בסיס בטון. נחנכה ב-1960.

גבעת הרדאר | 89

בקירבת היישוב הר אדר. לזכר כל חללי חטיבת הראל בפלמ"ח ובצה"ל. יציקת בטון חשוף. תוכננה על-ידי האדריכלים אריה ואלדר שרון, והוקמה ב-1975. ניתן לטפס אל מגדל התצפית שבראשה.

גבעתיים | 43

ב'גן הזיכרון', סמטת גזית. לזכר בני גבעתיים. יציקת אלומיניום של מנורה ולצידה שני ענפי זית. הפסל נתרם על-ידי ישראל גלילי (בלשניקוב) בשנת 1950.

גבעתיים | 50

ב'גן דרום', רח' משמר הירדן. לזכר בני גבעתיים חללי כל המלחמות. יצירה בשיש קארארה של הפסל מרדכי כפרי, ביוזמת העירייה. נחנכה ב-1988 לרגל השנה ה-65 לייסודה של גבעתיים.

גדרה | 36

בגן ציבורי בכניסה הצפונית ליישוב. לזכר בני גדרה. עשויה בטון המצופה בחלקו בשיש שחור. עוצבה על-ידי נעמי בידרמן, והוקמה בשנת 1981.

הוד השרון | 65, תצלום 7

בגן ברח' דרך השרון. לזכר חללי תש"ח מהיישוב הדר-רמתיים. הוקמה ב-1952 ביוזמת המועצה המקומית, ונוספו לה שמות חללים שנפלו מאוחר יותר. לימים הוקמה בגן סמוך אנדרטה לחללי השואה. נחל מלאכותי ושביל מחברים בין שתי האנדרטאות.

הסוללים | 48

בחורשה בשולי הקיבוץ. לזכר אנשי ההכשרות של 'מכבי הצעיר' בפלמ"ח וחברי קיבוץ הסוללים, חללי מלחמת תש"ח. יצירה באבן של הפסל יחיאל שמי. הוצבה ב-1954 ביוזמת המשפחות השכולות והקיבוץ.

הר הטייסים | 80, תצלום 2

בחניון שבראש ההר. לזכר צוות מטוס "נורסמן" שהתרסק בקרבת מקום במלחמת תש"ח. זו האנדרטה הרשמית של חיל האוויר. עשויה מאבן מקומית ומנוע המטוס. הוקמה ב-1950.

חולון | 81, תצלום 9

בכניסה לבית 'יד לבנים' ברח' קוגל, על רקע קיר אבן. לפני כן היתה מוצבת בתוך הבניין. לזכר בני חולון חללי מלומות תש"ח. יצירה במתכת של הפסל יצחק דנציגר מ-1961.

חוליקאת (חלץ) | 65, תצלום 2

לצידו המערבי של כביש 232, מדרום לכוכב מיכאל. לזכר חללי גדוד 54 של חטיבת גבעתי במלחמת תש"ח. עשויה אבן. תוכננה על-ידי

האדריכל גוסטב מאירשטיין, והוקמה ב-1951 ביוזמת הורי החללים וחברים לנשק.

חוליקאת (חלץ) | 77

על גבעה 138.5. לזכר חללי הגדוד השני בחטיבת הנגב של הפלמ"ח שנפלו בקרבות תש"ח באזור זה. אבן ושיש בצורת מצבה.

חורפיש | 35

בצמוד לבית-הקברות הצבאי, בכניסה המערבית ליישוב. לזכר חללי הכפר. עמוד עשוי בטון בעיצוב פארה כמאל. הוקם ב-1974 ביוזמת איש המועצה המקומית, ובסיוע המחלקה להנצחת החייל במשרד הביטחון.

חרות | 64, תצלום 1

ליד בית העם. לזכר חללי היישוב. בתחילה היתה זו אנדרטה לחללי תש"ח, יצירה באבן של הפסל דב פייגין משנת 1949. לימים הונצחו על קיר זיכרון נמוך לצידה שמות חללים נוספים בני היישוב.

טבריה | 38

בכיכר בצומת הרחובות הגליל והירדן. להנצחת כלי נשק שהיו בשימוש במלחמת תש"ח. עשויה אבן ותותח נפוליאונצ'יק. הוקמה ב-1956 על-ידי המחלקה להנצחת החייל במשרד הביטחון.

יגור | 80, תצלום 8

ליד בית-הקברות של הקיבוץ. גלעד לזכר חללי הקיבוץ שלא הובאו בו למנוחות. עשוי אריחי

שיש. תוכנן על-ידי אדריכל הנוף אריאל ברנט, והוקם ב-1975 ביוזמת חברי הקיבוץ.

יד מרדכי | 64, תצלום 5

במרכז הקיבוץ. לזכר מרדכי אנילביץ', ממפקדי גטו ורשה, ולזכרם של חללי הקרב על יד מרדכי במלחמת תש"ח (אחת האנדרטאות המעטות שמנציחות יחד את קורבנות מלחמת העולם השנייה וחללי מלחמת תש"ח). יצירה בברונזה של הפסל נתן רפפורט מ-1951, במשולב עם מגדל המים המחורר. במקום נמצא אתר שיחזור של המתקפה המצרית על יד מרדכי ב-1948 ומוזיאון לתולדות השואה ולתולדות ההגנה על הנגב.

יער בקוע (יער המגינים) | 60

אתר הנצחה לחללי גדוד שיריון 95. 17 גלעדי אבן ולוח ברונזה. האתר תוכנן על-ידי האמן גיורא נובק, נבנה על-ידי חיילי הגדוד ובני משפחותיהם, ונחנך ב-1982.

יער בקוע (יער המגינים) | 99

לזכר חללי חטיבת הצנחנים 317. גוף מטוס מדגם "נורד", שהוצנח במקום לאחר מלחמת יום כיפור.

יער ההתנדבות | 80, תצלום 1

לצד כביש 424, מזרום-מזרח למשמר איילון. לזכר המתנדבים העבריים ליחידות הצבא הבריטי, חללי שתי מלחמות העולם. האנדרטה, העשויה בטון ותבליטי נחושת, הוקמה בשנת 1976.

יער חולדה | 45

אנדרטת 'עבודה והגנה', סמוך לבית הרצל. הוקמה לזכר חללי הקרב בחולדה בשנת תרפ"ט (1929), וממוקמת על קברו של אפרים צ'יזיק, מפקד הקרב. התיכנון והסיתות באבן נעשו על־ידי הפסלת בתיה לישנסקי, במשך שבע שנים, ביוזמת ועדה שפעלה בחסות הוועד הלאומי והסתדרות העובדים. נחנכה ב־1937.

יקנעם עילית | 39

בכיכר בצומת הרחובות הגיבורים והיסמין. לזכר חללי העיר בכל המלחמות. עשויה אבן קסטל ולצידה מוצבת מרגמה. עוצבה על־ידי מהנדס הרשות המקומית, מקס לנדה, והוקמה ב־1970 ביוזמת הרשות המקומית.

ירושלים | 81, תצלום 8

ליד המתנ"ס בשכונת שמואל הנביא. לזכר חללי השכונה. עשויה שיש וחלקי נשק ממתכת. עוצבה על־ידי שמעון דרורי, והוקמה ב־1983.

כביש 4 | 80, תצלום 9

לצידו המזרחי של כביש 4, כ־5 ק"מ מדרום לצומת חדרה. לזכר אבשלום פיינברג איש ניל"י. הוקמה במלאת 40 שנה למותו, בשנת 1957. עשויה אבן ובטון. עוצבה על־ידי האדריכל אור־אל בנימין והמהנדס ד"ר עזרא רוטמן. את הקמתה יזמה משפחתו של פיינברג, בסיוע עיריית חדרה והסתדרות החקלאים.

כביש הצפון | 96

בצד הכביש, ליד קיבוץ אילון. לזכר רפי קצינובסקי שנהרג ב־1966. גלעד עשוי מתכת ומעוצב בצורת רימון־יד. הוקם על־ידי חבריו ב־1967.

כביש ראש פינה - צפת | 72

ברחבה לצד הדרך, כ־3 ק"מ במעלה הכביש מראש פינה לכיוון צפת. לזכר איש האצ"ל שלמה בן יוסף. יצירה בבטון של הפסל יצחק דנציגר מ־1957.

כפר יהושע | 71, תצלום 2

במרכז הכפר, ליד מגדל המים. לזכר חללי מלחמת תש"ח. יצירה באבן גיר של הפסלת בתיה לישנסקי מ־1953. חברי המושב, ביוזמת ההורים השכולים, החליטו על הקמת האנדרטה ב־1949, והעבודה עליה נמשכה כשלוש שנים. בשנת 1979 נוסף לוח זיכרון מול האנדרטה, גם הוא בעיצובה של לישנסקי.

לטרון | 91

במיתחם משטרת לטרון לשעבר. האנדרטה הוקמה ב־1973 לזכר חללי חטיבת שריון 7, ובהמשך הפך המקום לאתר ההנצחה הכללי של חיל השריון, לצד מוזיאון חיל השריון ומוקדי תיירות נוספים. האתר העשוי אבן, בטון ורכב משוריין, תוכנן על־ידי האדריכל קלמן כץ. את פיתוח האתר יזמה עמותת מפקדים בכירים מהשריון לאחר פרישתם מצה"ל.

מבוא ביתר | 73

ממזרח למושב. לזכר חללי מבצע "לולב" בשנת 1956. האנדרטה, העשויה אבן ומתכת, עוצבה על־ידי א. משעלי, והוקמה ב־1964 ביוזמתם של המשפחות השכולות וחברים.

מבוא מודיעים | 70, תצלום 2

ליד היישוב, מצפון לכביש 443. לזכר בני יישובי האזור חללי כל המלחמות. תוכננה על־ידי האדריכל יוסף אסא, ונחנכה ב־1982, ביוזמת האגודה להנצחת הנופלים באזור מודיעים.

מזור | 81, תצלום 5

במרכז היישוב, ליד בית העם. לזכר חללי הכפר. עשויה אבן ומתכת. פרי תיכנונם ויוזמתם של גבריאל ויהושע פרידמן, בשנת 1968.

מטולה | 65, תצלום 3

ליד המתנ"ס שבתחילת רחוב הראשונים. לזכר חללי היישוב. המבנה העשוי אבן תוכנן על־ידי האדריכל י. שוורץ, והוקם ב־1982 ביוזמת המועצה המקומית.

מצפור דוד אייזן | 64, תצלום 3

במבואות המערביים של עיספיא. לזכר שמונה חיילים, וביניהם דוד אייזן, שנהרגו על גדות תעלת סואץ ב־1970. עשויה אבן ונחנכה ב־1973. יזמו את הקמתה אביו של דוד אייזן וועדה ציבורית.

מרחביה (מושב) | 80, תצלום 7

בצידו המזרחי של היישוב. לזכר חללי המושב. נבנתה מגוש בזלת על־ידי הפסל מרדכי כפרי, והוצבה במקום בשנת 1959.

מרחביה (קיבוץ) | 64, תצלום 9

בבית־הקברות של הקיבוץ. לזכר שני חברי הקיבוץ חללי מלחמת תש"ח. יציקת בטון ושיש. תוכננה על־ידי האדריכל יעקב פינקרפלד, ונחנכה ב־1950.

משמר הירדן | 80, תצלום 6

אתר הנצחה וחורבות מושבה, לצד כביש 91, כחצי קילומטר מצפון־מערב לגשר בנות יעקב. לזכר 14 חללי הקרב על המושבה במלחמת תש"ח. עשויה בזלת, והוקמה ב־1950.

נגבה | 57

'אנדרטת המגינים', בתוך בית־הקברות הצבאי של הקיבוץ. לזכר חללי קרבות תש"ח בקיבוץ נגבה וסביבותיו, אנשי נגבה וחטיבת גבעתי. יצירה מברונזה של הפסל נתן רפפורט. הוצבה בשנת 1953, ביוזמת ועד ציבורי בשיתוף עם הקיבוץ, והמחלקה להנצחת החייל במשרד הביטחון.

ניר צבי | 81, תצלום 7

במרכז היישוב. לזכר חללי המושב. תחילה הוצב במקום סלע גרניט לזכר בן המושב שנפל במלחמת יום כיפור. בהמשך נבנה הקיר המעוגל ונוספו שמותיהם של שלושה חללים.

נמל התעופה בן גוריון | 88
בכניסה לנמל־התעופה. לזכר חללי חטיבה 8 בכל המלחמות עד 1972. מבנה גדול מבטון ופלדה, יצירתו של הפסל יחיאל שמי. נחנכה ב־1972. הוקמה ביוזמת עמותה של ותיקי החטיבה.

נס ציונה | 94
ב'גן הגיבורים' ברח' וייצמן. לזכר חללי המושבה בכל המלחמות. קיר זיכרון ותותח ממלחמת תש"ח. תוכננה על־ידי י. בס והאדריכלים מילר/בלום, והוקמה ב־1952. מאז נוספו לקיר הזיכרון שמות נוספים.

נשר | 65, תצלום 1
ב'גן יצחק' ברח' החלוצים. לזכר בני העיר חללי מלחמת תש"ח. נבנתה כתוספת לעמדת ירי שהוסבה לבית 'יד לבנים' וחדר זיכרון. יצירתו של הפסל מיכאל קארה, שנחנכה ב־1950. את הקמתה יזמו חברי ועדת הביטחון של ההגנה שפעלו במקום בתש"ח.

נתניה | 81, תצלום 2, 103
בדרום העיר, ליד בית 'יד לבנים' בשדרות בן גוריון. לזכר חללי חיל החימוש. אתר הנצחה הכולל קיר זיכרון, אנדרטה ופסלים שעוצבו מחלקי נשק שונים. האתר תוכנן על־ידי האדריכלים רות וזלמן ענב, ונחנך ב־1990.

נתניה | 102
בכיכר העצמאות, ליד הים. לזכר חללי תש"ח. תבליט אבן. יצירה של הפסל משה ציפר והאדריכלים פבזנר/יסקי מ־1960, ביוזמת עיריית נתניה.

עיינות | 64, תצלום 4
בחצר בית־הספר החקלאי 'עיינות'. לזכר בוגרי בית־הספר. עשויה אבן גוויל. הקמתה החלה בשנת 1959 והסתיימה אחרי 1973, על־ידי יעקב שכטר מעיינות.

עין גב | 56
על שפת הכינרת. לזכר חללי היישוב ממלחמת תש"ח. יצירה באבן בזלת וברונזה של הפסלת חנה אורלוף. הוצבה ב־1952, ביוזמת חברי הקיבוץ.

עינת | 47, תצלום 2
בכניסה לקיבוץ עינת, שהתפצל מקיבוץ גבעת השלושה. לזכר שלושת אנשי העלייה השנייה מפתח תקוה, שמתו בכלא דמשק בשנת 1916 ומקום קבורתם לא נודע. שלוש דמויות חצובות באבן, ותבליטים מוטבעים בבסיס, יצירתה של הפסלת בתיה לישנסקי. הוקמה ביוזמת קבוצת חברים ו̈עדה ציבורית בראשות נטע הרפז, ונחנכה ב־1959.

עיספיא | 80, תצלום 3
במיתחם בית־הקברות הצבאי, בצידו המערבי של היישוב. לזכר חללי היישוב שלא הובאו לקבורה במקום. אתר הכולל רחבת טקס, קיר זיכרון ואלמנט פיסולי, כולם עשויים אבן. במקור תוכנן האתר על־ידי אדריכל משרד הביטחון, בשנת 1959, והאנדרטה תוכננה על־ידי האדריכל אריה פטרן ב־1969. בשנת 2001 נוסף קיר זיכרון חדש.

עתלית | 80, תצלום 4
ליד משרדי המועצה המקומית. לזכר חללי היישוב עד 1959. עשויה אבן. הוקמה בשנים 1950–1949 ביוזמת המועצה המקומית.

פתח תקוה | 29
רח' חיים עוזר (בעבר היתה ממוקמת ברחוב מונטיפיורי, בחצר בית העירייה הישן). לזכר חללי היישוב במאורעות תרפ"א (1921). עמוד עם תבליט נחושת מרוקע, מעשה ידי תלמידי 'בצלאל'. הוקם ב־1922 ביוזמת משפחות החלליח והמועצה המקומית.

צובה | 51
במיתחם בית־הקברות של הקיבוץ. לזכר חברי הכשרת הקיבוץ מחטיבת הראל שנפלו במלחמת תש"ח באזור. עשויה אבן ירושלמית. תוכננה על־ידי עזרא גרינבוים, והוקמה ב־1950 ביוזמת חברי הקיבוץ.

צומת בית דגן | 71, תצלום 1
בגן קטן סמוך לגשר, ליד 'בית הקרן הקיימת'. לזכר חללי הקרבות באזור כביש יפו–תל־אביב–רמלה במלחמת תש"ח. עמוד זיכרון מאבן. נחנך ב־1949.

צומת גולני | 83, 93
אתר הנצחה לזכר חללי חטיבת גולני בכל המלחמות. האתר תוכנן על־ידי האדריכל יוסף אסא, הוקם בעזרת המועצה האזורית גליל תחתון, מחוז הצפון של משרד הפנים וגורמים נוספים, ונחנך ב־1982. בנוסף יש במקום אנדרטת אבן משנת 1959 שתוכננה על־ידי האדריכל אשר חירם. אנדרטה זו החליפה את הגלעד המקורי שהונח במקום במלחמת תש"ח.

צומת הלוחם הבדואי | 85
על כביש 77, במרחק קצר מצפון־מזרח לצומת המוביל. לזכר חללי העדה הבדואית במלחמות. האנדרטה העשויה בטון תוכננה על־ידי צוות מטעם המשפחות השכולות בשיתוף האדריכלית עופרי דגני, ונחנכה ב־1993. יזמו את הקמתה המשפחות השכולות בסיוע ראש המועצה עמק יזרעאל, מולה כהן. ליד האנדרטה הולך ונבנה בשנת 2002 אתר זיכרון ובו גן לזכר ראש־הממשלה יצחק רבין ז"ל, ובית יד לבנים.

צומת חולדה | 65, תצלום 9
'מצבת הגבורה', לצד 'כביש הגבורה' (כביש מס' 411) שליד משמר דוד. לזכר חללי מלחמת תש"ח שלקחו חלק בפריצת הדרך לירושלים ובשיירות 'דרך בורמה'. עמוד גבוה, עשוי אבן, יצירתו של הפסל משה ציפר. זו האנדרטה הראשונה שהוקמה כציון מרכזי עם תום קרבות מלחמת תש"ח. הוקמה על־ידי המשפחות השכולות, חברי הנופלים, והמחלקה להנצחת החייל במשרד הביטחון. בשנת 1982 הפכה לאתר ההנצחה לחללי חיל ההנדסה.

צומת כברי | 78
מדרום לצומת כברי, בחורשה. לזכר חללי שיירת יחיעם במלחמת תש"ח. עמוד זיכרון עשוי אבן ירושלים ושיש. תוכנן על־ידי האדריכל אשר חירם, והוקם ב־1950 ביוזמת ההורים השכולים ובשיתוף המועצה האזורית.

צומת כברי | 98
מדרום לצומת כברי, סמוך לעמוד הזיכרון. אתר הנצחה לזכר חללי שיירת יחיעם במלחמת תש"ח, הכולל כמה כלי־רכב משוריינים, שתוכנן על־ידי הפסל יחיאל ערד ונחנך ב־1969, ולצידו בית־קברות מוסלמי.

צומת מודיעים | 86
אתר הנצחה לחללי חיל התחזוקה, הכולל אנדרטה, קיר זיכרון ובמה רחבה. האנדרטה העשויה מתכת עוצבה על־ידי האדריכלית מימי פלג. האתר הוקם ביוזמה של עמותת אזרחים למורשת חיל התחזוקה.

צומת עירון | 87
אתר הנצחה לזכר חללי משמר הגבול, ובו קיר בטון עם אלמנט פיסולי, רחבת טקסים, חדר זיכרון ומגדל תצפית. תוכנן על־ידי יחיאל ערד ונחנך בשנת 1981, ביוזמת מפקד משמר הגבול צבי בר. הוקם על־ידי המחלקה להנצחת החייל במשרד הביטחון.

צור משה | 42
בחורשה בכניסה ליישוב. בתחילה הוקמה לזכר שני בני היישוב שנהרגו בירושלים במלחמת תש"ח, ובהמשך נוספו שמותיהם של חללים נוספים בני המקום. קיר זיכרון עשוי אבן. הוקם ביוזמת אנשי היישוב ונחנך ב־1968.

קדרון | 46
בחצר בית־הספר 'בית אור', ליד מיתקני השעשועים והספורט. לזכר בוגרי בית־הספר. עוצבה על־ידי רבקה קרן, חברת המושב, ששכלה את בנה במלחמת יום כיפור.

קדרון | 97
מרכז המושב, בסמוך לבית העם. לזכר בני היישוב חללי המלחמות. תבליט בטון. עוצב על־ידי רבקה קרן, חברת המושב, בשנת 1978.

קרית גת | 81, תצלום 3
'אנדרטת פ"ז' בגן הבנים שבשדרות מלכי ישראל. לזכר 87 חיילי חטיבת אלכסנדרוני, חללי מלחמת תש"ח בכפר עיראק אל־מנשיה. מקורה של האנדרטה במצבת זיכרון מ־1950, שעמדה למרגלות תל ערני שבצפון־מזרח קרית גת. עשויה בטון וברזל. עוצבה על־ידי האדריכל בסקין, ביוזמת ותיקי חטיבת אלכסנדרוני והעירייה, ונחנכה ב־1985.

קרית טבעון | 81, תצלום 6
בכיכר הבנים, סמוך למרכז ההנצחה המקומי, בכניסה לעיר. לזכר חללי העיר בכל המלחמות. עשויה בטון ופלדה. תוכננה על־ידי הפסל־אדריכל יחיאל ערד, בשיתוף האדריכלים פולק/פרוכטר, ונחנכה ב־1971.

קרית ענבים | 47, תצלום 1
בחורשה סמוך לקיבוץ מעלה החמישה. לזכר ישראל שפירא מחטיבת הראל, שנפל בתש"ח. הפסל מיכאל כץ יצר את צבי המתכת והעמיד אותו על עמדת ירי מבטון בשנת 1979. יוזם האנדרטה הוא מיכאל שפירא, בנו של ישראל.

קרית ענבים | 49
במיתחם בית־הקברות הצבאי של הקיבוץ. לזכר חללי חטיבת פלמ"ח־הראל במלחמת תש"ח. נחנכה ב־1951. האנדרטה, העשויה אבן ירושלמית, היא יצירתו של הצייר מנחם שמי, ששכל את בנו בקרבות. הוקמה על־ידי המחלקה להנצחת החייל במשרד הביטחון.

קרית שמונה | 100
בכניסה הדרומית לעיר, ברח' תל־חי. לזכר חללי העיר בכל המלחמות. שלושה טנקים צבועים וטנק נוסף, הרוס, המוגבה על עמוד. יצירה של הפסל יגאל תומרקין מ־1968.

ראש העין | 70, תצלום 1
בצומת מגדל צדק–ראש העין, הכניסה הצפונית לעיר. לזכר חללי הקרבות במגדל צדק בתש"ח. עשויה אבן. הוקמה ב־1950.

ראשון לציון | 31, תצלום 1
בצומת הרחובות ז'בוטינסקי ועולי הגרדום. לזכר עולי הגרדום, חללי ניל"י, האצ"ל והלח"י. עמוד יצוק בטון. תוכנן על־ידי אליקום גור ונחנך ב־1965, ביוזמת איתן בלקינד, סגן ראש העיר באותה עת.

רחובות | 40, תצלום 1
בגן ציבורי בשכונת כפר גבירול שבצפון־מערב העיר. לזכר בני השכונה חללי המלחמות עד 1985. עשויה בטון. האנדרטה עוצבה על־ידי רבקה קרן בשנת 1985, ביוזמת הורים שכולים.

רחובות | 65, תצלום 6
בחצר בית־הספר התיכון ע"ש עמוס דה־שליט. לזכר בוגרי בית־הספר חללי המלחמות עד 1983. עוצבה על־ידי רבקה קרן ב־1983, ביוזמת משפחת ברניץ, לזכר בנם עובד שנפל במלחמת לבנון.

רינתיה | 62
במרכז היישוב, ברחבת דשא. לזכר 11 בני המושב שנפלו במלחמות. עשויה אבן בזלת ואבן גיר. תוכננה והוקמה ביוזמת חברי המושב, על־ידי אברהם ארוש,יוסף אמיתי ועפר יוזם, ונחנכה ב־1998.

רמות השבים | 65, תצלום 5
ברחבת בית העם. לזכר חללי היישוב במלחמת תש"ח ואחריה. קיר זיכרון שתוכנן על־ידי האדריכל חנן פבל, והוקם ב־1953.

רמלה | 64, תצלום 6
ברח' ההגנה, בכניסה לגן הציבורי. לזכר חללי גדוד 42 מחטיבת קריתי במלחמת תש"ח. עשויה בטון, ברזל ושיש. עוצבה על־ידי משה לבנר, מהנדס העיר, והוקמה ב־1958, ביוזמת עיריית רמלה.

רמלה | 84
בשדרות הרצל, בכניסה המערבית לעיר. לזכר חללי האצ"ל בקרבות אזור רמלה בתש"ח. האנדרטה גדולת־המימדים עשויה בטון. תוכננה על־ידי האדריכלים אוסקר ואבי פרילר, ונחנכה ב־1992. סייעו בבנייתה יצחק אביועם, יו"ר הוועד להקמת האנדרטה, משפחות החללים, משרדי ממשלה, הקרן הקיימת, עיריות רמת גן ונתניה, וגופים נוספים.

רמת גן | 30, תצלום 1
ב'גן אברהם', רח' משה שרת. לזכר בני רמת גן חללי מלחמת תש"ח. קיר זיכרון עשוי אבן, עם תבליט אריה באגפו השמאלי. יצירה של הפסל יעקב לוצ'נסקי, בשיתוף האדריכל אשר חירם, משנת 1954.

רמת גן | 31, תצלום 2
בכיכר גרונר בצומת הרחובות ז'בוטינסקי ורוקח. לזכר דב גרונר וחללי האצ"ל בשנים 1946–1947. יצירה באבן וברונזה של הפסלת חנה אורלוף. נחנכה ב־1953.

רמת השרון | 95
ב'גן הבנים', רח' וייצמן. לזכר בני היישוב חללי המלחמות. עשויה בטון ומצופה לוחות שיש עם תבליט מתכת. הוצבה במקום לראשונה ב־1968, שופצה וחודשה ב־1987.

רמת נפחה | 75
לצידו המזרחי של הכביש הישן מצפה רמון–עבדת, במקום שמסתעפת ממנו דרך העפר המוליכה לנחל חוה. עשויה אבן ושיש שחור. לזכר סמ"ר תמיר שימקו שנהרג ב־1983. הוקמה ביוזמת המשפחה וחברים באותה שנה.

רמת רחל | 54
בגן ציבורי סמוך לבית־ההארחה של הקיבוץ. לזכר חללי תש"ח. יצירה של הפסל דוד פולוס משנת 1949.

שדרות | 32
ברח' הבנים. לזכר בני שדרות חללי המלחמות. קיר זיכרון עשוי בטון. עוצב על־ידי אריה קוטלר, ונחנך ב־1988.

שייח' אברק | 67
על גבעה ליד בית שערים העתיקה וקרית טבעון. לזכר השומר אלכסנדר זייד. יזם ויצר אותה באבן ובבטון, ב־1940, הפסל דוד פולוס. בשנת 1979 שופץ הפסל ונוצק בברונזה בסיוע המועצה האזורית קישון, המועצה המקומית טבעון והמחלקה להנצחת החייל במשרד הביטחון.

שלומי | 33
בגן ציבורי גדול בכניסה ליישוב מכביש 899 (במקור בחצר בית־ספר, שם הוקמה ב־1969). לזכר חללי היישוב. קיר זיכרון מעוגל עשוי אבן ופסיפס.

שער הגיא | 68
'יד לפורצי הדרך לירושלים בתש"ח', על גבעת משב, מול שואבה. לזכר חללי הקרבות באזור זה במלחמת העצמאות. עשויה בטון וצינורות פלדה. עוצבה על־ידי נעמי הנריק בשיתוף האדריכלים מילר/בלום, ונחנכה ב־1967.

תל אביב | 65, תצלום 4
בגן הכובשים, ליד שוק הכרמל. לזכר חללי הקרבות באזור תל־אביב–יפו במלחמת תש"ח. קיר אבן עם תבליט. יצירה של הפסל מיכאל קארה מ־1957. האנדרטה הוקמה ביוזמת עיריית תל אביב.

תל אביב | 69
בגן העצמאות ברח' הירקון, על קצה צוק הפונה אל הים. לזכר הטייסים דוד שפרינצק ומתתיהו סוקניק, חללי מלחמת תש"ח בתל אביב. עשויה נירוסטה ובטון. יצירתם של הפסל בנימין תמוז והאדריכל אבא אלחנני. הוצבה במקום ב־1956 ביוזמת עיריית תל אביב.

תל יוסף | 55
ליד 'בית טרומפלדור' במרכז הקיבוץ. לזכר חללי הקיבוץ. תבליט באבן ובצידיו לוחות אבן עם שמות החללים. יצירה של הפסל אהרון פריבר, חבר תל יוסף, מ־1955.

תל יצחק | 47, תצלום 3
ליד 'בית גדי' שבקיבוץ. לזכר גד מנלה. יצירה בברונזה וגרניט של הפסל נתן רפפורט משנת 1973. במקום יש גם חצר זיכרון על־שם גד מנלה ואריק רגב.

תל נוף | 81, תצלום 1
'אנדרטת הצנחנים', לצד כביש רחובות–גדרה, בקירבת שדה־התעופה הצבאי תל נוף. לזכר חללי חטיבת הצנחנים. קיר זיכרון גדול, עשוי בטון, אבן ומתכת. תוכנן על־ידי אהרון כהנא, ומאז הקמתו ב־1960 נוספו לו עוד שני אגפים מצידיו.

תל עדשים | 40, תצלום 2
ליד בית התרבות במרכז המושב. לזכר 16 חללי המושב, קיר זיכרון עשוי בטון, ולצידו קיר נוסף עם תבליט זכוכית. הוקם ב־1974 ביוזמת חבר המושב צבי שולוויס.